Enciclopedia
megActividades

Edición latinoamericana

**Director editorial
para América Latina**
Aarón Alboukrek

Editora asociada
Gabriela Pérez Tagle

Traducción-adaptación
Ma. Emilia Picazo

**Colaborador en
diseño y tipografía**
Salvador Martínez

Lectura de pruebas
María de Jesús Hilario

Apoyo técnico
Rocío Alonso

Ilustraciones
Gerardo Cunillé: 141, 161, 162-163

Edición francesa

Dirección Editorial
Ediciones Nathan/Franck Girard,
director del departamento juvenil

Dirección de la obra
Marie-Odile Fordacq

Dirección ejecutiva de la obra
Joël Lebeaume

Dirección artística
Bernard Girodroux

Redacción de la obra
François Aulas
Olivier Follain
Béatrice Garel
Joël Lebeaume
Pierre Lecarme

Edición
Ariane Léandri

Diseño
Delphine Renon

Ilustraciones
Robert Barborini: 178-179
Patrick Deubelbeiss: 102-103
Christophe Drochon: 12-13, 14-15, 34-35, 44-45, 54-55,
62-63, 80-81, 88-89, 94-95, 122-123, 124-125, 130-131,
144-145, 146-147, 166-167,
Delphine Durand: 8-9, 48-49, 84-85, 120-121, 156-157,
Emmanuelle Étienne: 10-11, 22-23, 36-37, 70-71, 150-151
Béatrice Garel: 76-77
Donald Grant: 20-21, 40-41
Jean-Marie Guillou: 108-109, 126-127, 134-135
Olivier Hubert: 30-31, 82-83, 158-159, 176-177, 186-187
Christian Jégou: 96-97, 140-141, 170-171, 184-185
Olivier Lemoine: 16-17, 64-65, 110-111
Nathalie Locoste: 26-27, 86-87, 104-105, 112-113,
116-117, 128-129, 138-139
Christophe Merlin: 152-153, 154-155, 162-163,
164-165, 174-175
Philippe Mignon: 24-25, 32-33, 38-39, 60-61, 98-99,
100-101, 118-119, 180-181, 182-183
Jean-François Pénichoux: 30-31, 46-47, 66-67, 90-91,
92-93, 114-115, 132-133, 136-137
Amato Soro: 18-19, 50-51, 56-57, 74-75, 106-107, 160-161
Étienne Souppart: 28-29, 52-53, 58-59, 68-69, 72-73,
142-143, 148-149, 168-169, 172-173.
Los personajes humorísticos pequeños fueron
diseñados por Delphine Durand.

Investigación iconográfica
Valérie Delchambre

Correcciones
Chantal Maury

Enciclopedia
megActividades

LAROUSSE

Av. Diagonal 407 Bis-10
08008 Barcelona

Dinamarca 81
México 06600, D. F.

21 Rue du Montparnasse
75298 París Cedex 06

Valentín Gómez 3530
1191 Buenos Aires

CONTENIDO

JUEGOS DE PALABRAS Y DE HABILIDAD

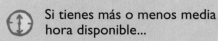

★ muy fácil ★★ fácil ★★★ más difícil

Una actividad fácil de hacer.

Si tienes más o menos media hora disponible...

Esta actividad requiere de mucho tiempo.

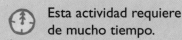

ARTES Y ESPECTÁCULOS

NOTA IMPORTANTE:
Todos los experimentos debes realizarlos bajo la supervisión de un adulto.

Sobre la mesa, un sombrero, una varita mágica y varios objetos. Comienza el espectáculo: con un soplido y las palabras mágicas, aparecen objetos y se transforman.

■ El sombrero de mago

Necesitarás:
- una cartulina de 32 x 35 cm,
- una tira de cartulina de 18 x 60 cm,
- papel negro,
- pajillas o popotes articulados,
- 1 m de listón,
- una hoja de papel,
- tijeras,
- pegamento,
- cinta adhesiva.

7 a 9 cm
según la cabeza

1 Sobre el papel, dibuja y recorta un óvalo. Ponlo sobre la cartulina y dibuja el contorno del sombrero. Recórtalo.

2 Pega la tapa con cinta adhesiva y une la tira de cartulina.

3 Pega el ala. En el papel negro, traza y recorta las superficies. Pégalas al sombrero.

4 Corta una pajilla o popote e inserta los extremos para darle forma de moño.

5 Pega los moños sobre el listón y decora el sombrero.

Sugerencias
- Mira al público fijamente a los ojos.
- Practica para moverte con naturalidad.
- No digas lo que vas a hacer para que la sorpresa sea mayor.
- No repitas el mismo truco.
- Permite que revisen tus objetos siempre que sea posible.
- Programa el espectáculo con trucos variados.

Para dominar tus trucos, practícalos delante de un espejo.

■ La varita camaleónica

 ★ ★

Necesitarás:
- una vara de madera de 30 cm,
- una hoja de papel periódico,
- un rectángulo de papel de color,
- una mascada o pañuelo,
- pintura blanca y negra.

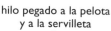

1 Pinta la varita de negro con los extremos blancos.

2 Coloca el pañuelo sobre el papel de color. Enrolla ambos alrededor de la varita sin apretar (el papel de color debe poder deslizarse) y pégalos.

3 De frente al público, presenta la varita y el periódico. En seguida, enrolla la varita en el periódico.

4 ¡Abracadabra! Tira de la varita. Habrá cambiado de color. Arruga el periódico y haz aparecer el pañuelo.

■ La pelota en el sombrero

 ★

Necesitarás:
- una pelota de ping pong o tenis de mesa,
- una servilleta de tela,
- un hilo de nailon.

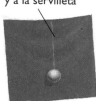
hilo pegado a la pelota y a la servilleta

El truco
Al repetir el movimiento descrito, darás la impresión de hacer aparecer muchas pelotas de ping pong y de llenar con ellas el sombrero. ¡Pero éste sigue vacío!

1 Presenta el sombrero vacío y la servilleta (el hilo de nailon va hacia ti). Cubre el sombrero.

2 Levanta la servilleta y dóblala en dos. Deja caer la pelota. Los espectadores deben ver la pelota pero no el hilo.

3 Vuelve a cubrir el sombrero con la servilleta y repite los movimientos varias veces seguidas.

Un mago hace aparecer y desaparecer los objetos como por encantamiento. Pero no se necesitan hechizos; bastará con un poco de preparación y práctica.

■ La moneda caprichosa

 ★

Necesitarás:
- una moneda mediana,
- cinta adhesiva transparente de doble cara.

Preparación

Pega el trozo de cinta adhesiva a una cara de la moneda.

1 Frente al público, toma la moneda preparada y póntela en la mano derecha, en la base del dedo medio.

2 Coloca la mano derecha sobre la mano izquierda abierta. Retira ésta al mismo tiempo que la cierras.

3 El índice derecho señala la moneda, que debería estar en la mano izquierda.

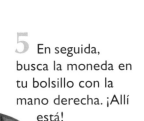

4 Sopla sobre tu mano izquierda y ábrela. ¡Está vacía!

■ Boleto, tarjeta o foto mágicos

 ★ ★

Necesitarás:
- 2 cuadrados de papel (de 21 x 21 cm),
- 2 cuadrados de cartulina (de 13 x 13 cm),
- lápiz adhesivo,
- una tarjeta, un billete o boleto o una fotografía,
- ligas.

5 En seguida, busca la moneda en tu bolsillo con la mano derecha. ¡Allí está!

Preparación

Dobla cada hoja como lo muestra el dibujo. Después, pégalas con cuidado, revés con revés. Coloca una fotografía en el centro de un cuadrado y vuelve a doblar los costados. Deja la otra hoja desdoblada.

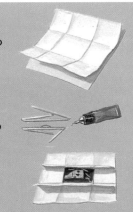

El naipe descubierto

Necesitarás:
- 21 naipes de un juego
de cartas.

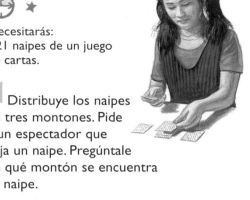

1 Distribuye los naipes en tres montones. Pide a un espectador que elija un naipe. Pregúntale en qué montón se encuentra su naipe.

2 Recoge los naipes procurando poner el montón elegido entre los otros dos. Vuelve a distribuir los naipes en tres montones. Pregunta otra vez en qué montón se encuentra el naipe elegido. Recoge los naipes y repite estas operaciones por tercera vez.

Y ahora... ¡desaparezco!

¡QUÉ FRAUDE!

3 Acomoda los naipes uno por uno en un solo montón. Voltea el undécimo naipe. Es el que eligió tu espectador.

---

1 Muestra al público la hoja en blanco, sosteniéndola verticalmente. Dóblala despacio, sin enseñar la otra cara.

2 Colócala entre los cuadrados de cartulina y después une todo con las ligas.

3 Al pasarte el paquete de una mano a otra para mostrarlo al público, dale media vuelta. Ahora, la otra hoja doblada está al frente. Abre otra vez el paquete. ¡Qué sorpresa!

ARTICULACIONES MISTERIOSAS

Una hoja de papel doblada, dos cartones articulados, naipes intercalados. Nada especial. Sin embargo, las monedas desaparecen, los billetes quedan presos y los naipes ya no están enteros.

■ El doblez guillotina

Necesitarás:
- las cuatro sotas o jotas de un juego de naipes,
- un rectángulo de cartulina,

- tijeras,
- pegamento.

1 Dobla el rectángulo en dos y luego en cuatro.

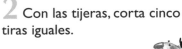

2 Con las tijeras, corta cinco tiras iguales.

3 Pega los naipes revés con revés. Desliza los pares en las tiras de cartulina.

4 Presenta al público cada uno de los naipes por su nombre, donde los dobleces permitan ver su rostro. Después, pide a un espectador que los encuentre. Uno, dos, tres... ¡fácil! Pero, ¿dónde puede ocultarse el cuarto?

■ Un portamonedas misterioso

Necesitarás:
- un rectángulo de papel (del doble de largo que de ancho),
- tijeras.

1 Dobla los dos triángulos.

2 Vuelve a doblar uno.

3 Pliega el triángulo pequeño. Te quedará un portamonedas de doble pared.

■ Una billetera sorprendente

Necesitarás:
- 4 rectángulos de cartón rígido de 6 x 9 cm decorados por una cara,
- 4 trozos de listón (dos trozos de 10 cm y dos de 12 cm).

1 Pega los cuatro listones en el reverso de un cartón.

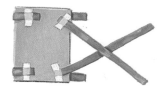

2 Pasa dos listones bajo el cartón.

3 Coloca el segundo cartón dejando de 3 a 5 mm entre los dos. Ahora pega los listones.

4 Pega encima los otros dos cartones.

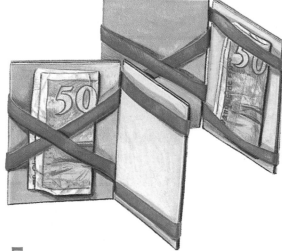

5 Pide a un espectador un billete de banco. Dóblalo y colócalo dentro de la cartera. ¡Quedará preso!

4 Cierra el portamonedas deslizando la punta en la abertura.

5 Mete una moneda en el sobrecito. Unas palabras mágicas, un cuarto de vuelta ¡y el portamonedas está vacío!

MAGIA PARA SABOREAR

Al momento de comer, vasos, platos, servilletas y hasta la fruta se convierten en los accesorios del mago. ¡Buen provecho!

◼ El plato de cumpleaños

Necesitarás:
- una docena de platos de cartón,
- un marcador o plumín,
- una libreta pequeña,
- un lápiz adhesivo,
- una tarjeta de cumpleaños pequeña.

1 En la primera página de la libreta, escribe la suma de tres números. Trata de escribir cada número con diferente caligrafía.

2 Con el marcador o plumín, escribe al reverso de cada plato un número entre 400 y 700.

3 Pega ligeramente el plato con el número 475 bajo otro plato, insertando entre ellos la tarjeta de cumpleaños. Coloca este plato en el lugar del festejado.

◼ Una manzana fácil de comer

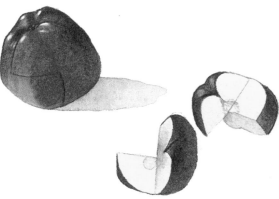

Para preparar la manzana, córtala como si fueras a partirla en dos pero sólo hasta la mitad. Repite la misma operación con la manzana volteada y el cuchillo perpendicular al primer corte. Después, une los dos trozos clavando el cuchillo en la fruta. Esta nueva clase de manzana parece entera pero se separa en dos para comerla.

El truco
Este truco funciona cuando hay más de diez invitados. Pide a tres invitados que escriban un número entre 100 y 250 entregándoles la libreta volteada. Pide a una cuarta persona que haga la suma pero presentándole los números que tú escribiste. Haz que todos busquen el plato con el resultado correcto. ¡Qué sorpresa se llevarán al encontrar la tarjeta de cumpleaños oculta en el plato especial!

La banana o plátano rebanado

Necesitarás:
- aguja e hilo,
- una banana
  o plátano.

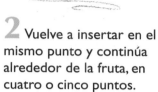

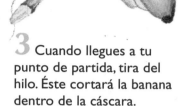

1 Inserta la aguja y hazla salir por uno de los ángulos de la cáscara.

2 Vuelve a insertar en el mismo punto y continúa alrededor de la fruta, en cuatro o cinco puntos.

3 Cuando llegues a tu punto de partida, tira del hilo. Éste cortará la banana dentro de la cáscara.

4 Repite la operación tres o cuatro veces en distintos puntos.

El truco

Explica a tus amigos (o a tus padres) que ahora se vende un nuevo tipo de banana o plátano que ya viene rebanado.
Como nadie te creerá, ofrece demostrarles lo que acabas de comprar. Ten cuidado de elegir entre las demás la fruta que preparaste.

Nudos en la servilleta

Necesitarás:
- 2 servilletas delgadas.

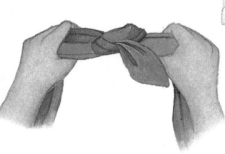

1 Toma cada servilleta por una esquina, anuda una vez y después una segunda vez en el otro sentido para obtener un nudo plano o cuadrado.

2 Muestra a tus amigos cómo aprietas el nudo. Pero al hacerlo, coloca la punta de la servilleta azul sobre su parte larga.

3 Coloca el nudo en la palma de una mano. Sopla sobre él y tira. ¡El nudo ha desaparecido!

Un escamoteador emplea objetos con truco, un prestidigitador aprovecha su habilidad con los dedos y un ilusionista emplea trampas, fondos dobles o espejos. ¿Qué clase de mago eres tú?

■ Un bote de doble fondo

Necesitarás:
- una lata grande de conservas abierta por los dos lados,
- una tira de papel negro,
- una tira de papel de color,
- dos cuadrados de papel negro,
- servilletas de papel,
- dos ligas,
- pelotas de esponja, confeti, listón de colores, papel crepé, dulces o gomas de grenetina,
- clips,
- pegamento,
- cinta adhesiva,
- una linterna,
- un compás.

1 Forra el interior de la lata con papel negro.

2 Corta dos discos en los cuadrados negros.

cono para cubrir

3 Con los clips, forma un cono con el disco grande. Ajústalo a la lata y ciérralo con cinta adhesiva.

4 Fija el cono dentro de la lata. Después, cubre el exterior con la tira de papel de color.

5 Llena la lata con los objetos y encaja suavemente la tapa. ¡Ya está lista!

6 Muestra la lata a tu público. Atraviésala con la varita mágica; después, ilumina el fondo para demostrar que está vacía.

7 Pon la lata sobre la mesa, con la tapa hacia ti. Cúbrela con una servilleta de papel y fíjala con una liga. Cierra el otro extremo de igual modo.

8 Muestra al público cómo la luz sigue atravesando la lata. ¡Está vacía! Algunas palabras mágicas... Perfora la servilleta y la tapa. Saca los objetos uno por uno. ¡Esta vez la lata está llena!

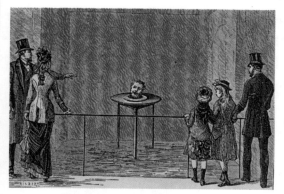

El decapitado de Robert-Houdin

ILUSIONES VERDADERAS

Jean Eugène Robert-Houdin fue un gran ilusionista francés del siglo XIX. Dos espejos colocados entre las patas de la mesa reflejan la imagen de los muros y ocultan al personaje. La ilusión de una cabeza colocada sobre la mesa es total.

Sugerencia
Puedes usar un tubo grande de cartón. Cuanto más ancho, más espectacular será el efecto.

■ Un diamante falso

 ★ ★

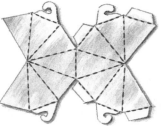

Necesitarás:
- cartulina delgada cubierta de papel de aluminio,
- una pequeña liga.

1 Dibuja en grande, corta, pliega y pega la figura.

2 Coloca la liga en los ganchos.

3 Saca el diamante plano de un bolsillo y lánzalo. ¡Se formará en el aire!

■ Un agujero de verdad

★

Necesitarás:
- una aguja de tejer,
- un tubo de cartón de 10 cm (de papel higiénico),
- una pajilla o popote,
- tijeras,
- cinta adhesiva,
- papel para decorar.

1 Con las tijeras, perfora el tubo en el centro. Introduce la pajilla o popote y corta sus extremos en cruz. Pégala con cinta adhesiva.

2 Recubre el tubo con papel de color. Desliza un globo dentro e ínflalo. ¡La aguja de tejer no lo perfora!

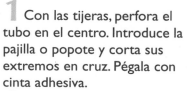

Aquí tienes algunos ejercicios que le darán soltura a tus dedos para que te conviertas en prestidigitador. No olvides practicarlos todos los días.

Ejercicios básicos

1 En el borde de una mesa, encadena los dos movimientos, al principio despacio y después cada vez más rápido.

2 En seguida, practica el juego de dedos con las dos manos.

3 Continúa el entrenamiento alternando el movimiento de cada mano.

¡Chu chu!

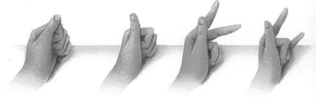

Golpea el puño contra la mesa. Después golpea con cada uno de los tres movimientos de los dedos. Al acentuar el primer tiempo, reproducirás el ruido de un tren a toda velocidad.

Tapones de corcho

Necesitarás:
- 2 tapones
de corcho.

1 Pide a un amigo que se coloque dos corchos en el hueco de los pulgares.

2 Ahora, pídele que tome entre el pulgar y el índice el corcho de la otra mano y que separe las manos. ¡Es imposible! Pero no para ti.

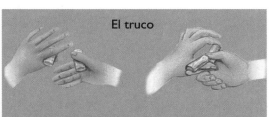

El truco

Coloca tus pulgares uno frente a otro (1). En seguida, tu índice derecho debe pasar bajo el pulgar izquierdo y tocar el corcho. Tu pulgar derecho debe pasar bajo el índice izquierdo y sostener el corcho. El pulgar y el índice izquierdos sujetan el corcho de la mano derecha como se describió (2)...

... y tus manos quedarán separadas.

Calentamiento de mago

Sostén una moneda entre el índice y el dedo medio. Gira la moneda sobre el dedo medio. Repite el movimiento hasta el meñique y después en sentido inverso.

Sugerencia
Para lograr esta manipulación, la mano debe mantenerse totalmente plana.

CORDELES TRAVIESOS

Con nudos verdaderos, y a veces falsos, los cordeles toman rutas curiosas que los espectadores difícilmente pueden seguir.

■ **El cordel invisible**

Necesitarás:
- 2 trozos de cordel flexible de 25 cm (o cordón de zapatos),
- 2 hojas de papel para dibujo de color oscuro,
- 2 tapones de corcho,
- 4 cuentas grandes (aproximadamente de 18 mm de diámetro),
- pegamento,
- cinta adhesiva,
- marcadores o plumines.

1 Haz un tubo del diámetro del corcho enrollando el papel para dibujo.

2 Cierra el tubo y pega el corcho. Colorea su extremo. Prepara el otro tubo.

3 Haz un nudo en el extremo de cada cordel. Inserta las dos cuentas y detenlas con un segundo nudo.

4 Desliza los cordeles en los tubos. Hace falta entrenar un poco pero te garantizamos el asombro general.

El truco

Sostén los dos tubos en una mano. Al tirar de un cordel, el otro se acorta. El público piensa que el hilo atraviesa los dos tubos. Pero se sorprenderá cuando tú sostengas un tubo y le entregues el otro a un cómplice. ¡Al tirar de un cordel, el otro se acorta!

El truco está en un sutil movimiento de muñeca: al tirar de un cordel, hay que inclinar el otro tubo; el peso de las cuentas hace descender el segundo cordel.

■ El nudo corredizo

 ★

Necesitarás:
- un cordón de zapatos de 75 cm.

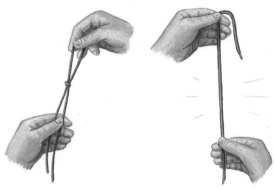

1 Muestra el cordón sostenido con ambas manos. Después, anúdalo sacando una lazada.

2 Tira de la lazada para apretar el nudo.

3 Sostén el cordel con una mano. Cierra la otra sobre el nudo y tira hacia abajo. ¡El nudo se deshace en tu mano!

■ El cordón cortado

 ★ ★

Necesitarás:
- un cordón de zapatos de 1 m,
- tijeras.

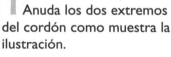

1 Anuda los dos extremos del cordón como muestra la ilustración.

2 Haz un segundo nudo sobre la lazada. Apriétalo fuerte. El extremo corre sobre el nudo.

MAGIA BLANCA, SÍ; BRUJERÍA, NO

Los orígenes de la brujería se remontan a la antigüedad. Esta magia negra, que evocaba al diablo, ha desaparecido poco a poco gracias al desarrollo de la ciencia, que da respuestas sobre los fenómenos curiosos de la naturaleza. Hoy en día, el trueno o el relámpago ya no se ven como manifestaciones de demonios o de fuerzas oscuras. Libre de estos aspectos diabólicos, la magia blanca sólo pretende asombrar, sorprender y crear ilusiones con trucos siempre explicables.

3 Pide a alguien que corte el cordón. Trata de presentar bien el cordón para que pueda correrse el nudo.

4 Muestra el cordón cortado. Después, deslizando la mano cerrada, quita el nudo. Quedará oculto dentro de tu puño.

La nariz roja, la cara blanca, la ropa demasiado grande. Son torpes pero nobles y todo el mundo los reconoce. Graciosos o tiernos, siempre nos conmueven.

■ Bolsillos llenos

Necesitarás:
- un abrigo grande y viejo,
- cuadrados de tela,
- bolsas de plástico,
- una aguja de coser,
- hilo,
- objetos diversos.

1 Con aguja e hilo, cose los cuadrados de tela en el interior y el exterior del abrigo para formar nuevos bolsillos.

2 En el interior de los bolsillos, desliza una bolsa de plástico. Llénala con diferentes objetos.

La pantomima
El payaso anuncia que buscará una llave en sus bolsillos pero encuentra harina, globos y la bomba para inflarlos, caramelos, confeti, una guía de teléfonos o varios libros de bolsillo, una serie de pañuelos multicolores y, por último, ¡la llave!

EL AUGUSTO Y EL PAYASO BLANCO
El augusto es un torpe que entiende todo al revés. Su traje siempre es demasiado grande y sus gestos exagerados. Por el contrario, el payaso blanco es elegante, gracioso e incluso reprende al augusto.

■ Gigante o diminuto

accesorios hechos de poliestireno o de cartón pintado

accesorios para muñeca

La pantomima
El payaso asombra al público usando objetos demasiado grandes, muy pequeños o desproporcionados, como un lápiz en miniatura para escribir en una hoja gigantesca.

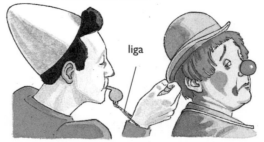

El silbato invisible

liga

La pantomima
El payaso le silba a su compañero para asustarlo cada vez que le da la espalda pero es inocente, ya que tiene las manos vacías.

La regadera de confeti

regadera decorada

La pantomima
Cada vez que levanta la regadera, el payaso finge que está muy pesada. Amenaza con mojar a los espectadores. De pronto, cae sobre ellos una lluvia... ¡de confeti!

Elige tu estilo de payaso
Según tu carácter, descubre a qué tipo de payaso te pareces. Busca tus defectos y exagéralos. Practica tus gestos y actitudes frente a un espejo. Elige un nombre y una frase que te caractericen y repítelos con frecuencia.

El payaso blanco

camisa con mangas de globo

sombrero cónico blanco

pantalón bombacho recogido en la pantorrilla

medias blancas

zapatillas

El augusto

sombrero de fieltro o pañolenci

nariz roja

abrigo enorme

pantalón ancho, doblado a media pantorrilla

zapatos muy grandes

¡BAH!

No hay nada más divertido que asustar a los amigos con verdaderas sorpresas inofensivas.

■ El azúcar que hace espuma

 ★

Necesitarás:
- 25 g de azúcar granulada,
- 2 cucharaditas de bicarbonato de sodio,
- 2 cucharaditas de ácido cítrico,
- pasta para modelar o plastilina,
- un terrón de azúcar,
- un vaso.

1 Mezcla bien el azúcar, el bicarbonato y el ácido cítrico.

2 Encaja el terrón de azúcar en la pasta para modelar o plastilina para hacer un molde exacto.

3 Comprime bien tu mezcla en el molde. Déjala secar. Coloca el terrón falso en la azucarera.

4 En el té, el café o el chocolate, el bicarbonato hará burbujas. No te preocupes, no es tóxico.

■ ¡Una mancha de tinta!

botella de tinta vacía

I cucharada sopera de yeso y agua

pintura negra

Pon tu mancha falsa (ya seca y barnizada) junto a la botella vacía y colócalas sobre un objeto valioso, como un mantel, documentos o un mueble. ¡La puesta en escena logra el efecto!

■ Un apósito ensangrentado

gasa y esparadrapo

Dibújate una herida roja en la pierna o el brazo. Toma varias capas de gasa y píntalas de rojo en un solo punto. Pega la gasa con esparadrapo por las orillas sin cubrirla toda y deja un poco de rojo al descubierto.

■ La flor que moja

  ★

Necesitarás:
- manguera muy delgada,
- un frasco flexible,
- papel,
- tijeras,
- lápices,
- un alfiler de seguridad o seguro.

1 Confecciona una flor de papel y préndela a tu ropa con el alfiler de seguridad o seguro.

2 Asoma la manguera por el centro de la flor y oculta el resto bajo tu ropa, hasta el bolsillo.

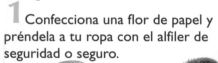

3 Conecta el tubo a la boca del frasco. Colócalo en tu bolsillo. Oprímelo cuando alguien se acerque a ti.

■ Un lápiz de mentira

varita redondeada de madera de 15 cm pintada

extremo afilado con el sacapuntas

mina pintada en la punta del "lápiz"

■ ¡Siete años de mala suerte!

Con la pastilla de jabón dibuja en el espejo una serie de grietas.

jabón afilado en forma oblicua

Con dos pelotas es muy fácil pero con tres o más se vuelve muy complicado, ya que el malabarista sólo tiene dos manos.

◼ Pelotas multicolores

 ★

Necesitarás (para una pelota):
- 3 globos,
- un cuadro de plástico adherente o una bolsa de plástico pequeña (de 15 x 15 cm),
- 100 g de arroz entero (o lentejas, mijo, etc.),
- tijeras.

1 Pon el arroz en el centro del cuadrado de plástico. Ciérralo para formar un pequeño paquete.

2 Corta los extremos de los globos e introduce delicadamente el paquete de arroz en uno de ellos.

3 Desliza un segundo globo encima del primero.

◼ Un barrilete o cometa con ◼ una pelota

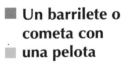

pelota de tenis envuelta en tela

4 Corta agujeros pequeños en el último globo y colócalo sobre la pelota. Los colores del globo de abajo se ven por los agujeros. Ahora puedes hacer más pelotas multicolores.

Sugerencia

Mira en todo momento las pelotas y nunca tus manos; de lo contrario, se caerán.

■ Ejercicios de entrenamiento

- con una pelota

- Lanza la pelota y aplaude una vez antes de atraparla. Después, aplaude dos veces y luego tres.

- Lanza la pelota por debajo de una de tus piernas y aplaude.

- Lanza la pelota muy alto y gira sobre ti mismo antes de atraparla.

- con dos pelotas (una en cada mano)

- Lanza las dos pelotas al mismo tiempo verticalmente y atrápalas.
- Lánzalas al mismo tiempo, cruzándolas.
- Lánzalas al mismo tiempo verticalmente y cruza las manos para atraparlas.

Lanza la pelota derecha en diagonal hacia la mano izquierda. Síguela con los ojos. Cuando vaya bajando, lanza la pelota izquierda hacia la mano derecha. Síguela con los ojos. Atrápala con la mano derecha. Repite los movimientos ligando uno con otro.

- con tres pelotas (una amarilla, una roja y una azul)

Sostén dos pelotas en la mano derecha y una en la izquierda. Lanza la amarilla hacia la mano izquierda.

Cuando vaya bajando, lanza la pelota roja hacia tu mano derecha. Ya atrapaste la amarilla. Cuando la roja vaya bajando, lanza la azul.

La roja está en una mano, la azul y la amarilla en la otra. Basta repetir el mismo movimiento y practicar.

¿Cómo animar un espectáculo? Transformando objetos cotidianos en instrumentos sonoros.

■ El contrabajo

Necesitarás:
- cuerda delgada,
- un balde o cubeta,
- un mango de escoba,
- un trozo de madera (de unos 25 cm),
- una sierra.

1 Ata con fuerza un extremo de la cuerda a la unión del asa del balde o cubeta.

2 Pon el mango de escoba dentro del balde. Fíjalo con el trozo de madera redondeado en los extremos.

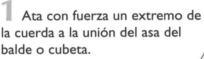

3 Ata la cuerda al extremo del mango de escoba para tensarla. Pon un pie sobre el borde del balde para que no se mueva.

4 Inclina el mango con la mano izquierda para tensar más o menos la cuerda. Con la mano derecha, pulsa la cuerda como un verdadero contrabajista.

■ La manguera zumbadora

funda aislante eléctrica flexible de 1.50 m de largo

Haz girar la manguera sobre tu cabeza, como un lazo, y oirás un zumbido. El sonido se modifica según el largo de la manguera, como en un órgano.

■ Silbidos con los dedos

Coloca los dedos índice y medio de ambas manos sobre la lengua doblada y silba. Tendrás que practicar mucho para lograrlo.

El chasqueador

 ★

Necesitarás:
- una hoja de papel.

1 Dobla la hoja en dos y vuelve a plegar un borde.

2 Dobla otra vez en dos.

3 Voltea las dos esquinas hacia atrás de modo que sobresalgan un poco. Sosténlas con fuerza entre el pulgar y el índice. Sacude la mano con fuerza y ¡zas!

La pajilla o popote musical

extremo de una pajilla o popote cortado en forma oblicua y abierto en dos

Pon la pajilla o popote en tu boca y sopla con fuerza. La pajilla vibra como una lengüeta de oboe.

El *kazoo*

trozo de cartón enrollado

trozo de bolsa de plástico fijo con una liga

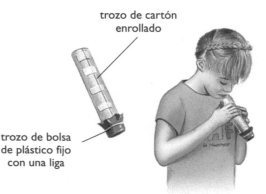

Silba y canta dentro del tubo y crearás música.

JUEGOS CON SOMBRAS

Sigue todos tus movimientos pero siempre en silencio. Al animarla, se convierte en espectáculo. ¿Qué es?

■ Teatro de sombras

  ★ ✦

Necesitarás:
- cartulina,
- papel para calcar,
- tijeras,
- cinta adhesiva,
- palitos de madera,
- alambre rígido,
- un lápiz,
- broches de dos patas,
- papel celofán,
- pegamento.

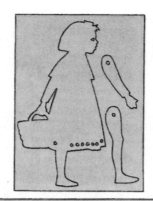

1 Elige una historia con dos, tres o cuatro personajes. En la cartulina, dibújalos de perfil, junto con sus partes móviles.

Convierte el umbral de una puerta en un teatro de sombras.

Sugerencia

Es más fácil adaptar un cuento conocido que inventar una historia. Por ejemplo, imagina que la Caperucita Roja tiene un violín mágico y que el lobo es un viejo cantante de *rock*.

2 Recorta las siluetas y fija las articulaciones con los broches de dos patas.

3 Con la cinta adhesiva, pega los palitos de madera a las partes fijas y el alambre a las partes móviles.

4 Dibuja y recorta la escenografía. Pega papel celofán en las aberturas.

■ Juegos de manos

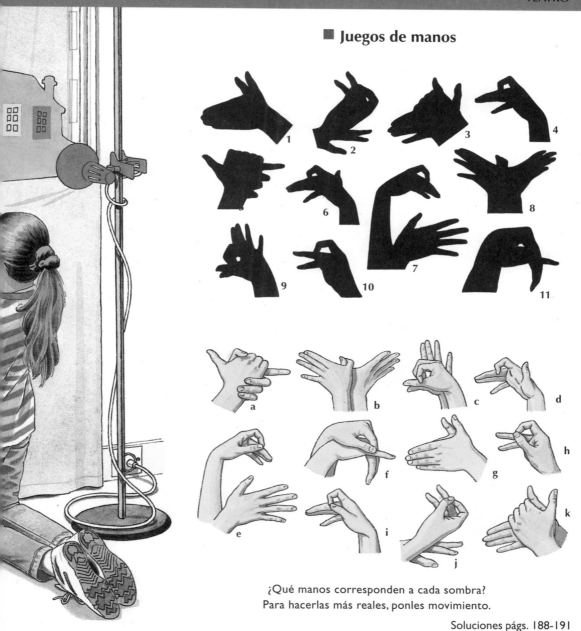

¿Qué manos corresponden a cada sombra?
Para hacerlas más reales, ponles movimiento.

Soluciones págs. 188-191

SOMBRAS TRADICIONALES

El teatro de sombras apareció hace más de dos mil años en Asia y en Europa. Las sombras, proyectadas con pieles transparentes o de colores, acompañaban las ceremonias religiosas en Java y la India. En Grecia y los países árabes, los personajes permitían criticar a los políticos.

las sombras chinescas, un espectáculo de profesionales

Si trae una media de nailon sobre la cara, sin duda es un asaltante. Las máscaras son el verdadero rostro de los actores. ¿Cómo disfrazarte para convertirte en un hechicero, un hada o un viejo, para hacer reír o llorar?

■ Una máscara de comedia

Necesitarás:
- cartulina,
- pasta para modelar o plastilina,
- venda de yeso (de la farmacia),
- aceite, tijeras,
- pinceles, pinturas,
- cinta adhesiva,
- un recipiente con agua,
- hilo elástico.

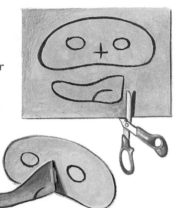

1 Dibuja la forma de la máscara y el perfil de la nariz en la cartulina y recórtalos. Pega la nariz a la máscara con cinta adhesiva.

2 Con la pasta para modelar o plastilina, forma la nariz, las mejillas, las cejas y la frente. Cúbrelo todo con una capa de aceite. El molde está listo.

3 Corta la venda de yeso. Sumerge algunos segundos una tira en el agua, escúrrela y colócala sobre el molde. Recubre todo el molde, cruzando las tiras de la venda y alisando el yeso con los dedos.

el Arlequín de la *commedia dell'arte* italiana

LAS MÁSCARAS DEL TEATRO

En Grecia, los actores de teatro llevaban máscaras de cuero o de madera. Durante el Renacimiento, el teatro italiano alcanzó gran éxito con personajes como Arlequín, Pierrot o Colombina. Se presentaban en escena con máscaras de rasgos muy exagerados pero que reflejaban su personalidad.

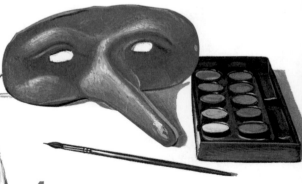

4 Déjalo secar. Quita la máscara del molde con cuidado. Con las tijeras, corta los ojos y empareja el borde. Perfora dos agujeros a los lados y anuda el hilo elástico. Dale color con pinceles y pinturas.

■ Haz un antifaz

Si pegas partes de caras recortadas de revistas, puedes hacer un antifaz. Es más fácil sostenerlo con un palito de paleta de caramelo.

■ Una máscara de bolsa

Decorada con pinturas, una bolsa de papel se convierte en una máscara.

■ Una cara festiva

  ★ ★

Necesitarás:
- una tira de cartón corrugado (más o menos de 50 x 70 cm),
- trozos de estambre (de 15 cm de largo),
- tijeras,
- pegamento,
- una engrampadora o engrapadora.

¡MUY GRACIOSO!

1 Con las tijeras, haz dos agujeros en el lugar de los ojos. Después, recorta y pega trozos de cartón para simular las cejas, las mejillas y la boca.

2 Perfora agujeros cada 5 cm. Anuda los trozos de estambre y deshilacha sus puntas.

3 Engrapa la tira de cartón para formar un cilindro. ¿Podrán reconocerte?

En cuanto los tomas en tus manos, los títeres cobran vida. Casi sin palabras, se expresan mediante movimientos y ademanes en la representación de historias.

■ Un títere

Necesitarás:
- papel periódico,
- pañales desechables,
- pegamento para papel pintado o papel tapiz,
- un tubo de cartón (de papel de aluminio),
- cartulina de color,
- cinta adhesiva,
- 2 cuadrados de tela,
- aguja e hilo (también pueden ser grampas o grapas),
- un recipiente,
- pintura,
- pinceles,
- tijeras,
- pegamento.

1 En el recipiente, prepara el pegamento para papel pintado. Deja reposar unos minutos. Después, mezcla las fibras del interior de los pañales desechables. Amasa hasta obtener una pasta pegajosa.

2 Forma una pelota de papel periódico. Corta un trozo de 8 a 10 cm del tubo de cartón y fíjalo con cinta adhesiva a la pelota de papel.

3 Recubre la pelota con pasta, modelando los detalles de la cara. Deja secar. La cabeza está lista.

4 Coloca los cuadrados de tela derecho contra derecho y corta el vestido como se muestra. Cóselo (o engrápalo) y voltéalo.

10 cm 15 cm
5 cm 10 cm 25 cm
5 cm

5 Dibuja y corta dos pares de manos en la cartulina. Pégalas a los brazos.

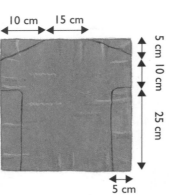

6 Pinta y decora la cabeza. Deja secar y pega el vestido a la garganta. Agrega un cuello y puños. Sólo te falta crear la historia.

■ Una marioneta de hilos

  ★ ★

Necesitarás:
- 10 tapones de corcho,
- una pelota de unos 5 cm de diámetro de poliestireno o de goma,
- 3 borlas de cotillón,
- 2 cuentas y 2 alfileres de cabeza grande
- 3 discos de cartón rígido,
- grampas o grapas aislantes (de ferretería),
- estambre,
- hilo grueso y aguja,
- pegamento,
- 3 tiras de madera (de 15 cm de largo),
- 2 clavos pequeños.

1 Une los corchos entre sí con las grampas o grapas aislantes.

3 Con el hilo y la aguja, atraviesa el cuello y la cabeza. Únelos al cuerpo. Después, une los brazos, los pies y las manos.

2 Haz los ojos fijando las cuentas con los alfileres. Pega una borla de cotillón para hacer la nariz y el estambre como cabello.

hilos para los brazos

hilo para la cabeza

hilos para las piernas

4 Fija los cinco hilos a los palitos y a la marioneta. Cuando mueves la cruz, el payaso camina, baila y se expresa.

■ Un títere para dedos

papel enrollado y pegado con cinta adhesiva

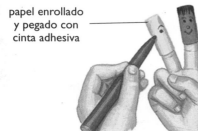

Un dedo disfrazado se convierte en un títere.

TÍTERES Y MARIONETAS

una escena de *El gato con botas*

Títere es el nombre genérico de todas estas figuras con las que se hacen representaciones. Algunas se manejan desde arriba con hilos, las llamadas marionetas, o desde abajo con varillas. En el caso de los títeres, el titiritero mete la mano en una funda. En ocasiones, se mueven a través de mecanismos.

El movimiento da vida a las imágenes sucesivas de una acción. Estas animaciones precedieron la invención del cine.

■ Discos de imágenes

 ★ ★

Necesitarás:
- un cuadrado de cartulina (de 20 x 20 cm),
- pintura negra,
- una regla de madera,
- papel blanco,
- una chincheta o chinche,
- lápiz adhesivo,
- compás.

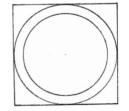

1 En la cartulina, marca el centro del cuadrado y dibuja dos círculos, de 8 y 10 cm de radio.

2 Dibuja un diámetro y después arcos de círculo.

3 Marca doce hendiduras y recórtalas. Pinta una cara de negro.

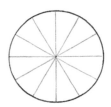

4 En una hoja de papel, dibuja un círculo de 8 cm de radio y divídelo en doce secciones.

5 Dibuja una sucesión de imágenes (un dibujo por sección) y coloréala. Pégala con cuidado en la cara no coloreada del disco. Fija el disco a la regla con la chincheta o chinche. Hazlo girar frente al espejo y verás el movimiento.

■ Historias con animación

Cada hoja de un pequeño bloc tiene una imagen de la historia.

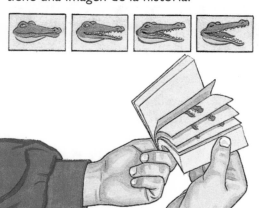

Las imágenes del disco forman el ciclo de una acción que empieza y termina de igual manera. Cada imagen es ligeramente distinta de la anterior. Puedes hacerlas con una computadora.

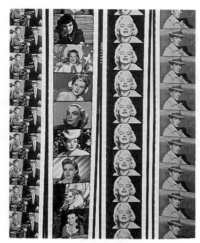

¿QUÉ ES LA PERSISTENCIA RETINEANA?

Una película está formada por una sucesión de imágenes que, vistas por separado, son fotografías. Al proyectarlas rápidamente, estas imágenes adquieren movimiento porque la retina del ojo las "recuerda" durante un breve instante. Así, las imágenes vistas con rapidez se superponen en el cerebro (generalmente 24 por segundo) y se percibe el movimiento.

◼ Imágenes compuestas

Necesitarás:
- cartulina cuadriculada,
- marcadores o plumines,
- pajillas o popotes (o varitas de madera),
- pegamento,
- círculos de cartón de 10 cm,
- 2 ligas.

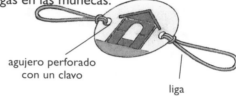

Las dos caras del disco

Las imágenes distintas de las dos caras se superponen al hacer girar el disco con las ligas en las muñecas.

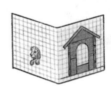

agujero perforado con un clavo

liga

Dos imágenes distintas

Haz girar la varita frotando las manos.

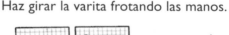

rectángulo de cartulina (de 6 x 10 cm) doblado y pegado a una varita de madera

Cuatro imágenes en movimiento

Haz girar la varita frotando las manos.

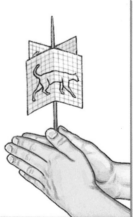

4 cuadrados de cartulina (de 6 x 6 cm) doblados y pegados alrededor de una varita de madera

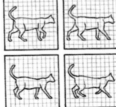

Es fácil filmar películas con una cámara de vídeo. Podrás ser reportero, director... ¡y pronto estarás en cartelera!

Recorridos secretos

Sugerencia
Para que el recorrido sea todavía más misterioso, agrega música aterradora y efectos sonoros extraños.

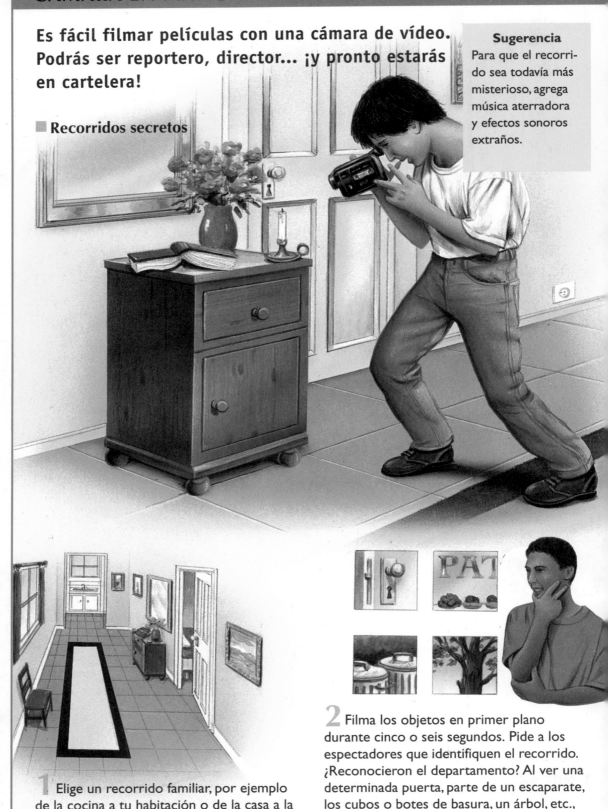

1 Elige un recorrido familiar, por ejemplo de la cocina a tu habitación o de la casa a la escuela. Decide qué objetos filmar.

2 Filma los objetos en primer plano durante cinco o seis segundos. Pide a los espectadores que identifiquen el recorrido. ¿Reconocieron el departamento? Al ver una determinada puerta, parte de un escaparate, los cubos o botes de basura, un árbol, etc., ¿reconocieron la ruta a la escuela?

Los diferentes planos de filmación

Plano de conjunto: da una vista panorámica de la situación. Permite presentar a los personajes en el escenario.

Plano general: la lente se acerca a los personajes. Se usa a menudo para pasar del plano de conjunto al primer plano.

Plano americano: se originó en las cintas de vaqueros, en las que se filmaba a los personajes a la altura de las pistolas. Conserva la información del plano de conjunto y realza las expresiones de los personajes.

Primer plano: es el plano ideal para mostrar las expresiones del rostro o detalles importantes.

■ Distintas perspectivas

Graba un recorrido, un paisaje u objetos como los vería un perro pequeño o un robot imaginario. No olvides los ladridos y los ruidos extraños.

MOVIMIENTOS

Las primeras cámaras de vídeo eran muy pesadas. Hacían falta brazos de Hércules y manos de relojero para obtener una imagen aceptable. Con las nuevas cámaras portátiles, que son muy fáciles de manejar, puedes moverte alrededor de tu objeto. La luz del sol no debe dar en el objetivo. Usa los acercamientos o el *zoom* con moderación y muévete suavemente para no marear a tus espectadores.

Los efectos visuales han permitido inventar mundos extraordinarios, aterradores o poéticos. Aquí te mostramos algunos de ellos.

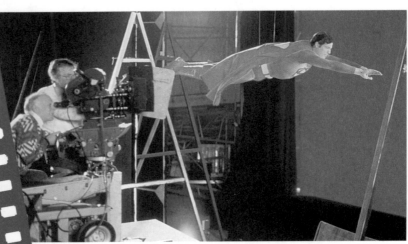

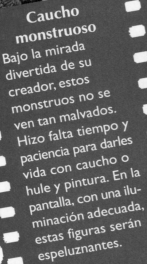

Caucho monstruoso

Bajo la mirada divertida de su creador, estos monstruos no se ven tan malvados. Hizo falta tiempo y paciencia para darles vida con caucho o hule y pintura. En la pantalla, con una iluminación adecuada, estas figuras serán espeluznantes.

Supermán colgante

¿Es un pájaro? ¿Es un avión? No, es Supermán y vuela mediante trucos. El actor está tendido sobre un soporte metálico fijo al muro, frente a un fondo azul que no se impresiona en la película. Un ventilador hace ondular su capa.

¿Nave especial?

Para hacer volar una nave espacial, se emplea un fondo de color. El verde y el azul son colores que pueden borrarse sin problema. Después, habrá que insertar otras imágenes en el fondo.

Un desayuno gigantesco

Es más fácil agrandar los accesorios que encoger a los niños, como indica el título de la película. Fueron necesarias muchas pruebas para que estos falsos cereales gigantes se vieran tan apetitosos como los normales que tú comes cada mañana.

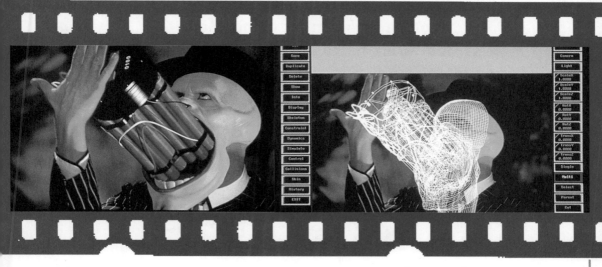

Una computadora explosiva

Cuando un personaje real se comporta como un héroe de los dibujos animados, el resultado nos hace estallar... ¡en carcajadas! Para *La máscara,* hubo que conseguir a un actor con facciones elásticas pero, sobre todo, a excelentes técnicos en computación para lograr unos efectos muy especiales.

¿Nieve blanca?

Los encargados de los efectos especiales imitan todo, incluso la nieve (carbónica), que lanzan con enormes extinguidores. Para semejar lluvia, basta agregar al agua un poco de leche, que la vuelve más visible.

■ Crea tus propios efectos visuales

Accidente en miniatura

Tanto los modelos a escala de estos automóviles como la serie de acciones se planean con todo detalle. Con un encuadre y efectos sonoros adecuados, el espectador se estremecerá como con un accidente real.

1 Sin cuerda y sin miedo, Ricardo escala un muro vertical. Se logró lo que exigía la escena y Valeria la filmó. Pero al pie del muro descubrimos el truco.

2 ¡Asombroso! Con un buen encuadre, ropa y cabello que no delaten el sentido de la toma, el efecto visual será todo un éxito.

EFECTOS DE SONIDO

En sus inicios, las películas eran mudas y la proyección se acompañaba con un piano. Hoy en día, el sonido forma parte del cine. Nos cuenta una historia por sí solo.

La lluvia cae

arroz o sal gruesa que se vierte sobre una placa metálica

Un caballo a galope

cáscaras de coco que se golpean una contra otra creando un ritmo de pasos, trote o galope

Pasos en la nieve

una bolsa o un guante de tela lleno de harina que se estruja cerca del micrófono; causará escalofríos

El viento sopla

al apretar un poco el tubo de papel, el viento sopla con mayor o menor fuerza

■ Una historia sonora

 ★ ★

Necesitarás:
- un magnetófono o grabadora,
- un casete,
- accesorios para hacer sonidos.

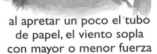

1 Coloca el magnetófono o grabadora sobre una mesa y fija el micrófono. Inventa una historia simple y acomoda en orden los accesorios de sonido.

2 Haz una prueba grabando cada efecto de sonido en el orden de la historia. Escúchala para verificar.

3 Graba todos los sonidos sin olvidar el texto y preséntalo a tu público.

El fuego crepita

cinta magnética de casete que se arruga entre las manos

Un pajarito pía
un tapón de corcho húmedo que se frota contra una botella de vidrio

EL GRITO DE TARZÁN

Johnny Weissmuller fue uno de los más célebres intérpretes de Tarzán en el cine. Hacía creer que su origen tirolés le permitía emitir su famoso grito. En realidad, fueron los técnicos quienes lo crearon, con grabaciones del grito de una hiena, el ladrido de un perro, la vibración de una cuerda de violín y el do más agudo de una cantante, la soprano Lorene Bride.

■ Cambia la historia

Necesitarás:
- una videocasetera y un televisor,
- un magnetófono o grabadora,
- casetes de vídeo y de audio.

1 Graba un fragmento de una película, un comercial o un programa de televisión. Obsérvalo sin sonido. Inventa comentarios graciosos o insólitos que pudieran hacer los personajes.

2 Prepara los comentarios y los accesorios para tus efectos de sonido. Reproduce tu vídeo y enciende el magnetófono o grabadora al mismo tiempo y graba la nueva banda sonora. ¡Ya tienes otra historia!

Sugerencias
- Haz varias pruebas y usa el contador para localizar las grabaciones.
- Evita manipular el micrófono para evitar ruidos indeseables.
Lo ideal es usar unos auriculares o audífonos; te aíslan de los demás ruidos y te permiten controlar la grabación.

ESCENAS CON ANIMACIÓN

¡Luces! ¡Cámara! ¡Acción! El automóvil arranca rechinando los neumáticos. Las sirenas de policía suenan pero es el helicóptero el que logra impedir la terrible fuga.

■ **Una película con animación**

Necesitarás:
- una cámara de vídeo,
- personajes,
- un telón de fondo,
- hilo de nailon,
- hojas de papel,
- marcadores o plumines,
- un magnetófono o grabadora (o un reproductor de discos compactos).

1 Prepara el plan de filmación:

ESCENA	IMAGEN	SONIDO
1	Arranca el auto	automóvil
2	persecución	sirena
3		

En una hoja de papel, anota los momentos importantes de tu historia. En la columna "imagen" menciona los elementos que se mueven y en "sonido", los ruidos pero también los momentos de silencio.

2 Prepara la escenografía. Cuelga un telón y coloca una planta, una casa, los objetos fijos, todo lo necesario. Fíjate que aparezcan en el visor de la cámara y apoya ésta muy bien sobre libros, por ejemplo.

3 Escribe en hojas de papel los créditos de la película junto con el título, el nombre y la función de cada quien (ingeniero de sonido, camarógrafo, etc.).

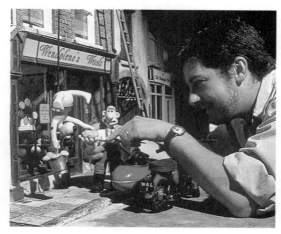

Wallace y Gromit

ACTORES DE PASTA PARA MODELAR O PLASTILINA

Los personajes de ciertos comerciales o de películas con animación, como *Wallace y Gromit*, están hechos de pasta para modelar o plastilina. En cada imagen, es necesario modificar una parte del cuerpo para dar la impresión de movimiento. ¡Una verdadera prueba de paciencia!

4 Reúne todos los objetos necesarios para los efectos de sonido y la música.

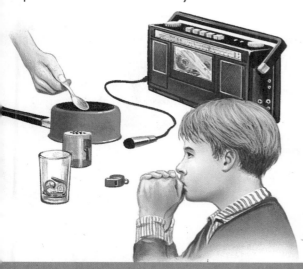

5 Todo listo. ¡Acción! Filma primero los créditos, contando despacio hasta diez para cada página. Después, filma el escenario.

6 Ahora filma el automóvil contando hasta dos. Muévelo unos cuantos centímetros y vuelve a filmar. Sigue así con cada escena. No olvides grabar al mismo tiempo los sonidos necesarios.

FORMAS Y COLORES

NOTA IMPORTANTE:
Todos los experimentos debes
realizarlos bajo la supervisión
de un adulto.

LISTOS PARA LA FOTO

¡No se mueva! ¡Sonría! ¡Clic! La fotografía está lista. Un poco de imaginación y obtendrás imágenes sorprendentes, recuerdos inolvidables de esos instantes.

■ **Cómo tomar fotografías**

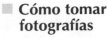

1 Elige el objeto que vas a fotografiar y lo que quieras mostrar.

2 Muévete para tener el mejor ángulo de visión; ponte en cuclillas o, por el contrario, trepa en algo para tomar tu fotografía.

¡Qué horror! ¡Mi hermanita es un monstruo!

concierto a cuatro manos

¿Dónde estaba el fotógrafo?

Soluciones págs. 188-191

¿Qué cámara fotográfica elegir?

vistas muy amplias de paisajes, monumentos o grupos, tomadas con una cámara panorámica

plano medio, con una cámara estándar

primer plano de objetos lejanos tomados con un teleobjetivo

■ Fotos con truco

Con tus cómplices, prepara una escena y elige una perspectiva que no delate tus trucos.

■ Efectos especiales

tres espejos

un amigo en la palma de la mano

un vaso

el cuello de una botella de plástico

¡Cuidado!

Si no usas una cámara "reflex", respeta la distancia mínima indicada; de lo contrario, no saldrá lo mismo que tú ves.

una media de nailon

¡Oye, te cambió la cara!

■ Retratos con vida

La cámara está a la altura de la boca. Se logra un aspecto natural.

Cuando el sol llega de lado, acentúa más el relieve de la cara.

Si pones la cámara arriba (en picada), la cara se ve comprimida.

Si colocas la cámara abajo (en contrapicada), el aspecto es imponente.

Algunos segundos bajo la luz, unos minutos sumergido y el papel fotográfico se convierte en un fotograma perdurable.

Necesitarás:
- papel crepé rojo,
- una botella de plástico,
- 4 cajas de plástico (para nevera o refrigerador),
- papel fotográfico,
- revelador,
- fijador,
- 2 linternas de bolsillo,
- una bolsa de tela blanca o un guante de cocina blanco,
- un recipiente de vidrio,
- tela negra,
- chinchetas o chinches,
- 2 ligas,
- tijeras,
- flores, hojas, etc.,
- papel negro,
- hisopos.

■ Tu laboratorio

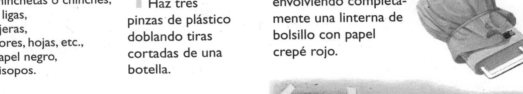

revelador   agua   fijador   agua

1 Haz tres pinzas de plástico doblando tiras cortadas de una botella.

2 Vierte los líquidos y colócalos en orden.

3 Prepara una iluminación especial (inactínica), envolviendo completamente una linterna de bolsillo con papel crepé rojo.

■ Fotogramas

1 Coloca las hojas o flores sobre una hoja de papel fotográfico. Después, coloca encima el recipiente de vidrio.

2 Ilumina el conjunto con la linterna de bolsillo metida en el guante o la bolsa de tela y cuenta hasta cinco.

3 Sumerge el papel sucesivamente en los cuatro baños. Después, déjalo secar.

■ Movimientos

Ilumina muy brevemente entre cada cambio de sitio del objeto. Así, la imagen registra el movimiento.

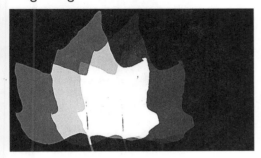

■ Transparencias

Descubre los objetos como jamás los has visto haciendo su fotograma.

■ Efectos especiales

Con un hisopo empapado en fijador, dibuja sobre el papel y después ilumínalo. En seguida, revela en los cuatro baños.

■ Trazos de luz

Un pincel de luz te permite escribir o dibujar.

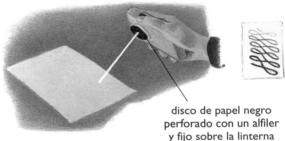

disco de papel negro perforado con un alfiler y fijo sobre la linterna

¡Precaución!
No saques el papel fotográfico del paquete más que de hoja en hoja y lejos de la luz del día. Si el fotograma no queda totalmente negro, aumenta el tiempo de exposición.

CÓMO ESCRIBIR CON LA LUZ

El papel fotográfico está cubierto con granos de sales de plata. La luz actúa sobre los granos que el objeto no cubre y los impresiona. El revelador los vuelve negros. El agua detiene la reacción química. El fijador destruye los demás granos.

granos no impresionados

granos impresionados

Antes del cine, las llamadas linternas mágicas hacían espectáculos con pequeñas imágenes proyectadas en una pantalla.

■ **Diapositivas**

  ★ ★

Necesitarás:
- marcos para
  diapositivas,
- papel para calcar,
- tijeras,
- marcadores o
  plumines delgados,
- una regla grande,
- lápiz adhesivo,
- un lápiz.

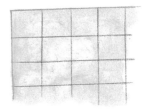

1 En una hoja de papel para calcar, haz una cuadrícula de 45 x 45 mm.

2 Coloca sobre cada cuadro un marco de diapositiva y traza el contorno de la ventana.

Enfoca en el techo o en una puerta; mueve la lupa en la tira de madera para obtener una imagen nítida. ¡Comienza la función!

3 Dibuja las imágenes de la historia y numéralas.

4 Corta las diapositivas y pégalas en los marcos. No olvides anotar los números.

DIAPOSITIVAS EN COMPUTADORA

Muchos programas permiten ver ilustraciones en la pantalla de una microcomputadora. Las imágenes se obtienen de dibujos o gráficas, tomados de bancos de imágenes, en los que se inserta un texto. Es muy fácil programar la sucesión y el orden de las imágenes, variar su duración, su desvanecimiento o su superposición.

Un proyector

Necesitarás:
- 4 clips,
- cartón de embalaje,
- una lupa,
- 2 ligas gruesas,
- una tira de madera (de 50 cm de largo),
- una linterna de mano,
- cinta adhesiva,
- tijeras.

1 Reproduce la figura en el cartón. Corta y pega el soporte con cinta adhesiva.

2 Pon la linterna sobre el cartón y dibuja su contorno. En seguida, corta el disco.

3 En el centro del disco, dibuja y recorta un cuadrado de 5 cm. Con cinta adhesiva, pégale el soporte de un lado y un trozo de papel para calcar del otro.

4 Abre los cuatro clips en ángulo y pégalos con cinta adhesiva.

5 Fija el disco y el soporte a la linterna con cinta adhesiva.

6 Fija la linterna y la lupa a la tira de madera con las ligas.

FOTOGRAFÍAS DE FAMILIA

El hijo de la hermana de mi padre se llama Bruno. Su hermana, Catalina, es prima de Ernesto, que es el sobrino de Alicia. Pero, ¿quién es la nieta del hermano del marido de Beatriz? Éstos son los problemas que resuelven los genealogistas.

■ **Árboles genealógicos**

Necesitarás:
- fotografías de tu familia,
- cartulina,
- tijeras,
- un compás.

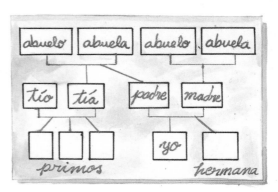

1 Investiga con tus padres y tus abuelos los nombres que necesites.

2 Haz un borrador de tu árbol genealógico poniendo siempre el padre a la izquierda y la madre a la derecha.

LA IDENTIDAD EN FOTOGRAFÍAS

Hacia 1860, Napoleón III popularizó el invento de André Adolphe Eugène Disderi que permitía obtener, a un precio razonable, hasta doce pequeños retratos fotográficos. Se les llamaba "tarjetas de visita" porque así se usaban. El tiempo de los retratos al óleo había terminado pero la aparición de la fotografía instantánea tuvo que esperar hasta 1930.

cartón cortado

alambre de cobre o de hierro torcido

3 Diseña y elabora el árbol eligiendo el tamaño y los materiales.

4 Dibuja en la cartulina tantos medallones y hojas como personas haya en tu familia.

PEGAMENTO

5 Recorta y pega las fotografías. Indica los nombres y apellidos, fecha de nacimiento, ocupación, etc.

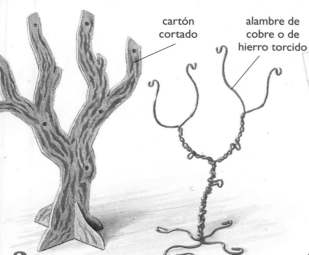

6 Para terminar el árbol, pega o cuelga las fotografías ya enmarcadas.

Adivinanzas

1. ¿Quién es la hija del marido de Elena, la madre de Andrea?

2. Una dama se encuentra en la calle con un caballero, quien le dice: "Me parece que yo la conozco." La dama responde que en efecto, debe conocerla, ya que la madre de él es la única hija de la madre de ella. ¿Cuál es el parentesco entre el caballero y la dama?

Soluciones págs. 188-191

FOTOGRAFÍAS PARA JUGAR

Las fotografías, rectángulos de papel mate o brillante, son la memoria del tiempo que pasa. ¿Por qué no recortarlas, unirlas o transformarlas para que digan algo distinto?

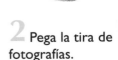

■ Anillos para servilleta

Necesitarás:
- fotografías en tira,
- un tubo de cartón (de toallas de cocina),
- pegamento,
- mica adhesiva transparente.

1 Enrolla la tira de fotografías sobre el cartón. Marca y luego corta el anillo para servilleta.

2 Pega la tira de fotografías.

3 Cubre cuidadosamente con mica adhesiva transparente. Así, cada quien reconocerá fácilmente su servilleta.

■ El pequeño teatro

Necesitarás:
- fotografías de personas de pie,
- imágenes de paisajes,
- cartón,
- una caja de zapatos,
- papel,
- tijeras,
- pegamento.

1 Haz un primer recorte amplio alrededor de los personajes. Pégalos en el cartón y dibuja una pestaña bajo los pies.

2 Recorta las siluetas.

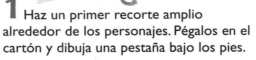

■ Partes de fotografías

Necesitarás:
- 6 fotografías,
- 4 cubos pequeños de madera (juego de dados),
- pegamento,
- una regla,
- un lápiz,
- tijeras.

1 Traza una cruz en cada fotografía para dividirla en cuatro. Recorta así las seis fotografías.

2 Junta los cuatro cubos y pega una fotografía cortada. Repite con cada una de las caras. También puedes hacer un juego con ocho cubos.

■ Fotocopias

Para decorar, pega fotocopias ampliadas o reducidas de una misma fotografía.

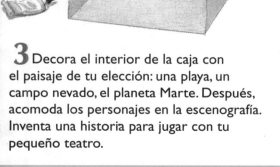

3 Decora el interior de la caja con el paisaje de tu elección: una playa, un campo nevado, el planeta Marte. Después, acomoda los personajes en la escenografía. Inventa una historia para jugar con tu pequeño teatro.

■ Memoria fotográfica

Juego: por turnos, cada quien voltea dos cartas para tratar de formar pares.

IMÁGENES INESPERADAS

Unos cuantos cortes y las imágenes se forman, se deforman y se transforman. Al cubrirlas, aparecen y desaparecen.

■ Imágenes enmascaradas

Necesitarás:
- 2 ilustraciones de revista (de 10 x 20 cm),
- un rectángulo de cartulina (de 10 x 24 cm),
- un rectángulo de papel para dibujo negro (de 20 x 24 cm),
- pegamento,
- cinta adhesiva,
- lápiz,
- regla,
- tijeras.

1 Dibuja líneas sobre una ilustración cada 2 cm y sobre la otra, cada centímetro.

2 Recorta las tiras de 1 cm. Pega una tira en cada franja de la primera ilustración.

3 Pega la imagen doble en la cartulina.

4 Dobla el papel negro en dos y marca franjas de 1 cm. Después, recorta una de cada dos.

Con letras, podrás hacer mensajes misteriosos.

5 Desliza la imagen doble bajo las tiras. Con la cinta adhesiva, fija el extremo de las tiras.

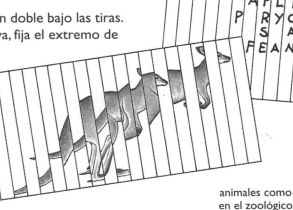

Al mover la tarjeta, el dibujo adquiere movimiento.

animales como en el zoológico

■ Imágenes ocultas

 ★ ★

Necesitarás:
- un pliego de cartulina,
- 3 ilustraciones de revista de alrededor de 12 cm,
- compás,
- regla,
- un lápiz,
- tijeras,
- un bolígrafo,
- pegamento.

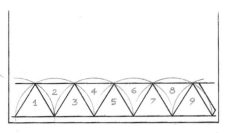

1 En la cartulina, traza una línea a 1 cm del borde. Después, dibuja arcos de círculo de 6 cm de radio. Une los puntos con el bolígrafo y agrega una pestaña para pegar.

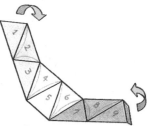

2 Recorta la figura. Dóblala plegando el triángulo 3 sobre el 4 y el 7 bajo el 6.

 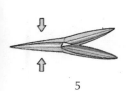

3 Pasa el triángulo 1 bajo el 9 y pega la pestaña. Colorea las dos caras.

4 Dobla la figura y ábrela. Aparecerá una tercera cara. Puedes pegar imágenes en cada cara. Al repetir la manipulación aparecerán las imágenes pero no siempre en el sentido correcto.

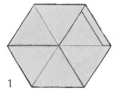

1

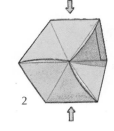

2

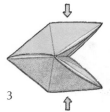

3

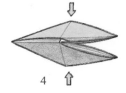

4

5

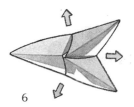

6

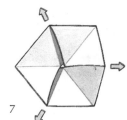

7

8

PERINOLAS ALUCINANTES

Seguramente conoces muchos tipos de trompos y perinolas. Pero, ¿has visto una perinola sicodélica? Aquí aprenderás cómo hacerlas de todos colores.

■ Haz una perinola

  ★

Necesitarás:
- un disco de cartón rígido,
- un compás,
- un clavo,
- papel,
- pegamento.

1 Con el compás haz un círculo de unos 10 cm de diámetro. Recórtalo.

2 Perfora el centro del disco con el clavo. Hazlo sobresalir 1.5 cm.

3 Enrolla una tira angosta de papel alrededor del clavo para sostenerlo.

■ Cómo crear ilusiones

  ★

Necesitarás:
- papel blanco,
- un compás,
- tijeras,
- marcadores o plumines,
- una perinola.

1 En el papel haz un círculo de 10 cm de diámetro. Recórtalo con las tijeras. Después, haz los dibujos como muestran los modelos.

2 Perfora el disco en el centro. El agujero debe ser mayor al diámetro del clavo.

3 Colócalo en la perinola y descubre lo que verás.

Al hacer girar la perinola más rápido o más lento, aparecen muchos efectos curiosos:

El disco con franjas de Mach
Las franjas se transforman en círculos negros (en el interior) o grises (en el exterior).

Colores mezclados
Con sus partes blancas, los discos azul y rojo se aclaran al girar. Con las partes negras, el disco amarillo se oscurece. La mezcla de color resultante depende de los colores originales.

4 Fija el clavo al disco con una gota de pegamento.

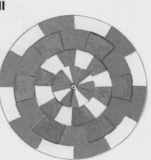

El disco misterioso

Este disco es negro y blanco. Sin embargo, cuando gira se ven colores: azul violáceo cuando gira lentamente, amarillo rojizo cuando va más rápido. Y nadie sabe por qué se ve aparecer estos colores.

El disco de Benham

Las líneas se transforman en círculos de color. Es un efecto muy misterioso de la persistencia retineana (que se explica en la pág. 39).

El disco con líneas paralelas

Cuando el disco gira lentamente las líneas se confunden en los bordes para formar dos zonas grises, en tanto que en el centro aparecen dos zonas blancas con líneas negras. Al hacer girar rápidamente el disco, aparece una serie de círculos concéntricos.

El disco de Maxwell

Los tres colores desaparecen para dejar su lugar a otros porque se mezclan. Puedes crear muchas otras ilusiones de óptica si cambias los colores.

Según el medio que los rodea, los dibujos y los objetos parecen tener un tamaño o un aspecto diferente. ¿Podemos creerles a nuestros ojos?

■ **Del alambre al volumen**

Necesitarás:
- un taladro de mano,
- alambre de hierro,
- una pinza.

1 Con la pinza moldea un trozo de alambre para hacer una media silueta.

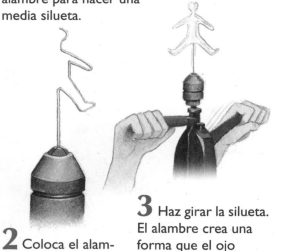

2 Coloca el alambre en el taladro.

3 Haz girar la silueta. El alambre crea una forma que el ojo percibe como volumen.

■ **La cuadratura del círculo**

Toma rápido tu escuadra para verificar. Los círculos o rombos múltiples habitúan al ojo a su forma. Eso modifica la percepción de la figura central.

■ **¿Cuál cuadrado es mayor?**

El cuadrado blanco en el centro del negro parece mayor; la retina del ojo percibe la mancha blanca como si fuera más extensa. Es un fenómeno llamado irradiación.

■ **¿Es circular?**

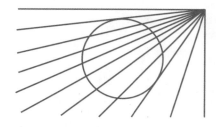

La acumulación de ángulos o de líneas altera la percepción que tiene el ojo de las rectas, de modo que las figuras regulares, como cuadrados o círculos, se ven deformadas.

¿EL TAMAÑO DE LA LUNA AUMENTA?

¿Te has fijado que la Luna parece cambiar de tamaño según esté en lo alto del cielo o cerca del horizonte? Sin embargo, su tamaño es siempre el mismo. Se trata de una ilusión de óptica. En medio de la bóveda celeste parece más pequeña que cuando está cerca de la línea del horizonte.

■ Mayor o menor

El punto negro de la izquierda es más pequeño y el de la derecha más grande... con respecto a los círculos que los rodean. Pero son idénticos entre sí, ¿o no?

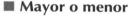

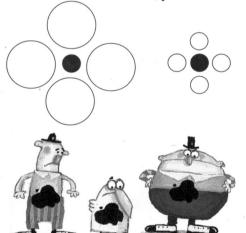

■ ¿Cuál W es más grande?

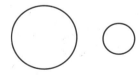

El ojo y el cerebro comparan los elementos unos con otros. Lo pequeño puede volverse grande según lo que tiene alrededor.

■ ¿Un listón o dos?

Para adivinar, tendrás que colorear.

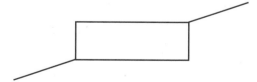

El número de líneas ya no permite ubicarse. El cerebro no logra discriminar números muy grandes o informaciones prácticamente idénticas.

■ ¿Es recta la línea?

En el espacio en blanco, el ojo se pierde, orientado tan sólo por los costados del rectángulo. Por ello es imposible seguir la continuidad de la línea.

Soluciones págs. 188-191

Las anamorfas emplean el mismo principio que los espejos deformantes pero a la inversa: la imagen deformada e ilegible en el papel aparece normal en un espejo curvo.

■ Una cuadrícula para dibujar

Necesitarás:
- papel de aluminio brillante,
- una hoja de papel,
- papel para calcar,
- marcadores o plumines,
- cinta adhesiva,
- un tubo de toallas de cocina.

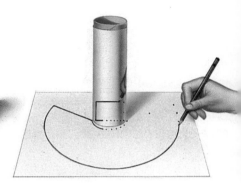

1 Prepara el espejo pegando el papel de aluminio al tubo de cartón con cinta adhesiva.

2 Coloca el espejo sobre una hoja de papel. Con el lápiz, traza puntos y únelos. En el espejo debes ver un rectángulo.

Para dibujar la cuadrícula no veas más que la punta del lápiz en el espejo.

3 Traza dos líneas. La imagen será un cuadrado.

4 Divide progresivamente la cuadrícula hasta obtener 12 x 8 casillas. Ya está lista para todas las anamorfas.

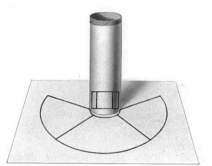

5 Dibuja una cuadrícula de 12 x 8 casillas en el dibujo que desees deformar. Pon una hoja de papel para calcar sobre esta cuadrícula.

6 Dibuja la anamorfa copiando los puntos del dibujo sobre la cuadrícula y coloréala.

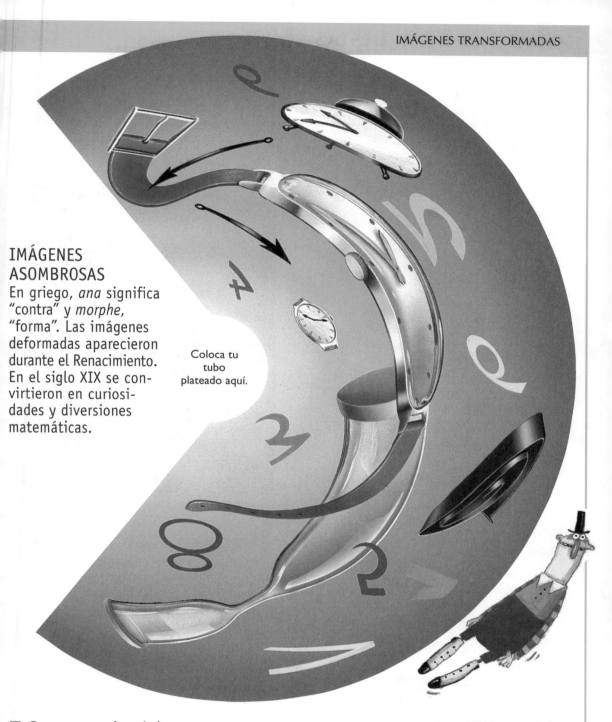

IMÁGENES ASOMBROSAS

En griego, *ana* significa "contra" y *morphe*, "forma". Las imágenes deformadas aparecieron durante el Renacimiento. En el siglo XIX se convirtieron en curiosidades y diversiones matemáticas.

Coloca tu tubo plateado aquí.

■ Con un espejo cónico

Necesitarás:
- una hoja de papel,
- papel de aluminio (brillante),
- un compás,
- tijeras,
- un lápiz.

1 Pega el papel de aluminio en la hoja. Por el reverso, dibuja un semicírculo. Recórtalo para hacer un cono.

2 Dibuja mirando la punta del lápiz en el cono.

IMÁGENES COMPUESTAS

Pintar o colorear pegando trozos de papel recortados o desgarrados también es jugar con las imágenes para crear otras nuevas, a veces extrañas o fantásticas.

■ Un retrato de temporada

 ★

Necesitarás:
- catálogos de supermercado,
- anuncios de frutas y verduras,
- papel negro,
- pegamento,
- tijeras.

1 Elige un tema en los catálogos o los anuncios: frutas, verduras, flores. Recorta lo que necesites.

2 Diseña un rostro disponiendo los elementos según sus formas: una zanahoria para la nariz, una manzana para cada mejilla.

3 Cuando tu composición esté lista, pégala sobre el papel negro para que los colores resalten mejor. ¡Un retrato que se antoja!

Los muchachos de la calle II, colage de Prévert

EL *COLAGE*

Los artistas han usado con gran frecuencia el colage. Picasso y Braque mezclaban pintura y *colage* en sus naturalezas muertas. El poeta francés Prévert creó numerosos *colages* mediante fotomontajes.

■ Fotografías cómicas

Para crear fotografías cómicas reúne dos elementos discordantes. Provocarás carcajadas.

■ Un juego con retratos

  ★

Necesitarás:
- 25 fotografías de revistas,
- 25 rectángulos de cartulina,
- pegamento,
- un lápiz,
- una regla,
- tijeras.

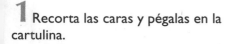

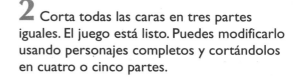

1 Recorta las caras y pégalas en la cartulina.

2 Corta todas las caras en tres partes iguales. El juego está listo. Puedes modificarlo usando personajes completos y cortándolos en cuatro o cinco partes.

Cómo jugar
Se colocan todas las tarjetas en desorden y boca abajo sobre la mesa. Por turnos, cada jugador toma una carta. Gana quien haya reconstruido más caras.

Sugerencia
Busca y guarda papeles de todos los colores, anuncios, catálogos de venta por correspondencia, billetes o boletos de espectáculos, papeles de envoltura. Organízalos por temas (animales, objetos, flores, etc.), por materiales (papeles mate o brillantes) o por colores.

BATIK Y TEÑIDO

El batik es una técnica muy antigua para teñir tejidos, originaria de Java. Crea tus propios diseños con un proceso simplificado.

■ Tiñe una camiseta

Necesitarás:
- una camiseta blanca (o de color claro),
- cordel de cocina,
- colorante para textiles,
- un puñado de sal gruesa,
- un recipiente metálico grande,
- un lápiz para papel,
- un palito.

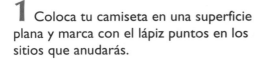

1 Coloca tu camiseta en una superficie plana y marca con el lápiz puntos en los sitios que anudarás.

2 Pellizca el tejido con los dedos y anuda los puntos con el cordel muy apretado.

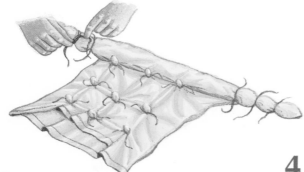

3 Enrolla las mangas y pon un nudo apretado cada 3 cm.

4 Pide a un adulto que ponga a hervir el agua salada con el colorante. Sumerge la camiseta durante 15 minutos, moviendo constantemente con el palito.

■ Un pareo tropical

 ★ ★

Necesitarás:
- un cuadrado de algodón blanco delgado (paño de algodón) de 1.50 x 1.50 cm,
- 2 ó 3 envases de pintura translúcida para textiles (1 volumen de pintura por 2 de agua),
- platos hondos,
- hojas, plumas, flores, etc.
- una esponja grande,
- una tira grande de plástico,
- una plancha (en temperatura para algodón).

1 Prepara los colores en los platos. Humedece la tela y extiéndela al sol sobre la tira de plástico.

2 Colorea la tela con la esponja, superponiendo las zonas de colores.

3 Acomoda las hojas y los demás elementos sobre la tela húmeda. Déjala secar al sol.

4 Retira los objetos y fija el color con la plancha, con ayuda de un adulto, durante 10 minutos.

■ Un pañuelo de colores

sal gruesa

cuadrado de algodón delgado de 45 x 45 cm

pintura para textiles

Pinta el tejido y cubre con sal gruesa. Fija con la plancha.

5 Saca del colorante y enjuaga abundantemente con agua fría. Retira el cordel y deja secar a la sombra.

SELLOS PARA IMPRIMIR

¿Cómo reproducir regularmente motivos idénticos y crear una impresión? ¡Con sellos, por supuesto!

■ Un sello de rodillo

Necesitarás:
- un carrete de cinta adhesiva vacío,
- un lápiz adhesivo (o un marcador o plumín grueso),
- fieltro o pañolenci adhesivo,
- pegamento,
- tubos de pintura para guache,
- un plato,
- un bloc de papel para cartas.

1 Corta una tira de fieltro o pañolenci y forra el carrete. Recorta los bordes que sobresalgan.

2 Recorta motivos en el fieltro y pégalos alrededor del carrete.

3 Prepara la pintura en un plato. Humedece ligeramente el carrete.

■ Ropa impresa

Necesitarás:
- un bañador o traje de baño (o una camiseta de algodón),
- trozos de madera,
- cordel grueso,
- pegamento,
- tijeras,
- pintura para textiles,
- un rodillo pequeño,
- alfileres,
- papel absorbente,
- una bolsa de plástico,
- cartón.

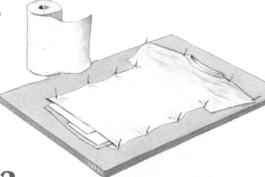

1 Recorta las tiras de cordel. Pégalas en los trozos de madera formando un motivo.

2 Prepara la prenda deslizando dentro de ella capas de papel absorbente y una bolsa de plástico. Fíjala con los alfileres al cartón estirándola ligeramente.

Sugerencia
Lee bien las instrucciones de las pinturas. Para fijar los colores definitivamente, pide a un adulto que planche la prenda ya decorada con la plancha caliente.

3 Impregna de pintura el sello, pasándole el rodillo varias veces.

4 Coloca el lápiz adhesivo dentro del carrete y personaliza tu papel para cartas.

Un sello elástico

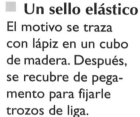

El motivo se traza con lápiz en un cubo de madera. Después, se recubre de pegamento para fijarle trozos de liga.

Un sello de esponja

Una esponja delgada, recortada y pegada en un trozo de madera, es un sello fácil de usar para superficies amplias.

Una goma de borrar como sello

Haz tus iniciales en relieve en un borrador o goma de borrar. Coloréalas con marcador o plumín antes de imprimir.

Un sello tallado

Sugerencia
Si vas a imprimir letras, palabras o nombres, usa un espejo para escribirlas al revés en el sello.

Los tapones de corcho o las papas talladas sirven muy bien como sellos.

4 Imprime el tejido con el sello. Tú decides la distribución y los colores.

73

UNA LLOVIZNA DE COLORES

¿Puede haber una lluvia de colores? Sí, pero una lluvia muy fina, un rocío multicolor que se posa delicadamente sobre las hojas... si tú soplas con fuerza.

■ **Un aerógrafo**

Necesitarás:
- un tapón de botella de plástico,
- un bolígrafo vacío,
- un bote de película fotográfica,
- un taladro manual y dos brocas (de 3 mm y 5 mm de diámetro),
- una sierra delgada (o un cuchillo con sierra),
- tijeras.

1 Perfora dos agujeros en el tapón de la botella.

2 Perfora dos agujeros de 3 mm en la tapa del bote de película.

3 Con las tijeras corta un trozo de 5 cm del repuesto o depósito del bolígrafo.

5 Encaja los dos tubos en la tapa perforada hasta que se toquen.

6 Arma el aerógrafo.

4 Corta un trozo de 10 cm del cuerpo del bolígrafo.

PINTURA CON PISTOLA
Los robots usan pistolas de aire para pintar los automóviles. El aire viene de potentes compresoras.

Bruma y neblina

 ★

Necesitarás:
- hojas de helecho
  o de árbol,
- hojas de papel grueso
  o papel para acuarela,
- tubos de pintura para guache,
- botes de película fotográfica.

1 En los botes de película,
prepara las pinturas, diluyéndolas
con mucha agua.

2 Coloca las hojas sobre el papel. Sopla
en el aerógrafo y empieza a pintar.

3 Retira algunas
hojas o modifica la
distribución.
Cambia de color y
vuelve a pintar, con
un color más
oscuro o diferente.
Quita las hojas y
verás el resultado.

Llovizna y rocío

 ★ ★

Necesitarás:
- cartulina,
- hojas de papel
  grueso o papel para
  acuarela,
- tijeras,
- pintura para guache,
- botes de película
  fotográfica,
- una pinza para ropa.

1 Recorta en la cartulina moldes de
diversas formas.

2 Prepara
la pintura diluyéndola
con mucha agua.

3 Fija el molde correspondiente al color
más claro con la pinza para ropa. Empieza
a pintar.

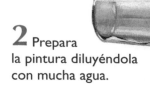

> **Sugerencia**
> Antes de pintar tu
> dibujo, haz la
> prueba en una hoja.

4 Prosigue cambiando los moldes (de
los colores claros a los oscuros). Debes
esperar a que seque la pintura entre una
y otra mano.

JUEGOS CON COLORES

Espátula, brocha, esponja... Te presentamos diferentes técnicas para jugar con los colores. Tú puedes inventar más efectos y usar otras técnicas.

El goteo
Prepara la pintura bastante líquida. Sumerge un pincel y deja caer la pintura en el lienzo.

Pintura monocromática
Elige un solo color (el azul, por ejemplo). Pinta solamente agregando blanco, del azul puro hasta el blanco azulado.

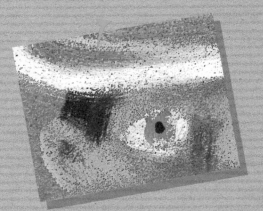

Pintura sobre papel de lija
Pinta con una brocha de cerdas cortas y pintura espesa. También puedes mezclar arena con la pintura.

Pintura con brocha
Usa una brocha de cerdas cortas. El color destaca más sobre fondo negro.

¡Cuidado!
No olvides proteger el sitio de trabajo con periódicos.

Pintura con espátula

Utiliza pintura para guache espesa directamente del tubo. Con una espátula, aplica la pintura sobre el papel.

Acuarela

Moja una hoja de papel grueso. Pon círculos de pintura muy diluida en la hoja y deja que la pintura se "difunda" en todos los sentidos. Deja secar y completa los detalles de tu acuarela.

Puntillismo

Con un hisopo empapado en pintura, empieza por los colores más claros. Haz las sombras con puntos más oscuros.

Pintura con esponja

Con pequeñas presiones cubre toda la superficie. Puedes cortar tu esponja y convertirla en un sello.

Imágenes en espejo

Aplica gotas de pintura en el centro de una hoja y dóblala por la mitad. Alisa con la mano. Después, abre la hoja y descubre tu pintura. Puedes retocarla con un pincel.

¡Cuántos cuadros hay en esta galería! Pero, ¿quiénes son los pintores? El que pinta el mundo con pequeños puntos es Seurat. ¿Y los demás?

Retrato de Dora Maar
1. Picasso (1881-1973)

Convergencia según la nueva poesía de Álvarez
2. Pollock (1912-1956)

Manos
3. Tapiès (1923-)

Con las siguientes pistas, identifica al creador de cada cuadro:

A. Pintaba con espátula y trazos gruesos.

B. Sus toques de pincel son volutas de colores intensos.

C. Sus viajes a Tahití influyeron en los motivos de sus cuadros.

D. Hizo del azul su color predilecto.

E. Retrató el mundo con puntos diminutos.

F. El título de su cuadro le dio nombre al movimiento impresionista.

G. De frente, de tres cuartos, de perfil, nos muestra todo a la vez.

H. Sus figuras geométricas se repiten y se transforman de manera muy matemática.

El circo
4. Seurat (1859-1891)

Arearea
5. Gauguin (1848-1903)

*For all that, we see or seam
a dream within a dream*
6. Monory (1934-)

La iglesia de Auvers-sur-Oise
7. Van Gogh (1853-1890)

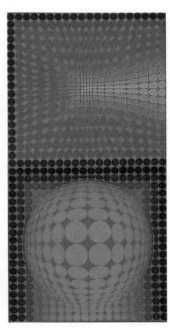

2170 VP-106
9. Vasarely (1908-1997)

Impresión, amanecer
8. Monet (1840-1926)

Soluciones págs. 188-191

Si el material es blando y maleable, las figuras se modelan o se moldean. Si el material es duro y resistente, los objetos se esculpen o se graban.

■ Lápices divertidos

 ★

Necesitarás:
- una taza de harina,
- una taza de sal fina,
- 1/2 taza de agua,
- lápices,
- un plato,
- una cuchara,
- un tazón,
- un cuchillo,
- una manzana,
- pintura,
- barniz.

1 En el tazón mezcla la harina y la sal. Agrega poco a poco el agua hasta obtener una bola de pasta. Amásala durante varios minutos.

2 Haz una pequeña bola de masa en el extremo de cada lápiz. Modela los personajes con ayuda del cuchillo.

3 Encaja los lápices en la manzana y coloca ésta cerca de la estufa o un radiador durante un día completo.

4 Pinta los personajes y barnízalos. ¡Tendrás lápices personalizados!

> **Sugerencia**
> No uses lápices cilíndricos para que la pasta se pegue mejor.

■ Adornos con imán

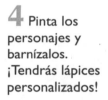

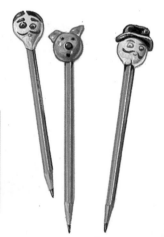

HASTA EL AGUA SE ESCULPE

En los Alpes, la caverna tallada en el mar de hielo alberga un departamento curioso. En el dormitorio, el baño o la cocina, todos los muebles están esculpidos en grandes bloques de hielo que la luz tiñe con matices azules. Un imponente oso cuida tan extraño lugar.

figuras de pasta de sal pegadas sobre imanes

Los artistas liberan las estatuas del material que las aprisiona: piedra, madera, metal y hasta hielo.

■ Grabado en yeso

  ★ ★

Necesitarás:
- empaques de plástico de fondo liso,
- 2 tazas de yeso,
- un recipiente,
- pintura en polvo (de la papelería),
- un cuchillo,
- clips,
- una taza de agua.

1 Vacía la taza de agua en el recipiente y espolvorea el yeso. Mezcla hasta obtener la consistencia de crema fresca.

2 Vierte en los moldes una capa de yeso de unos 5 mm de grosor. Espera unos minutos a que endurezca.

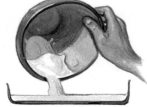

3 Prepara más yeso mezclando la pintura. Vierte la segunda capa.

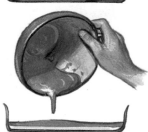

4 Repite el proceso y vierte la tercera capa de yeso blanco. Coloca un clip que servirá de gancho.

5 Cuando el yeso esté fraguado, desmolda la placa. Escribe con la punta del cuchillo y aparecerá el color.

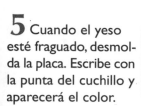

■ Jabones grabados y esculpidos

 ✦ ✦

Necesitarás:
- una pastilla de jabón,
- un cuchillo de cocina,
- un pelador de verduras,
- un lápiz.

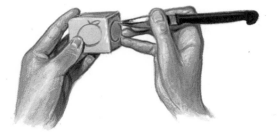

1 Con el lápiz traza los contornos de la forma en cada una de las caras del jabón. Después, graba ligeramente el contorno con la punta de un cuchillo.

2 Con el cuchillo dale la forma a tu figura.

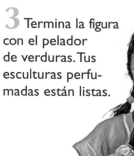

3 Termina la figura con el pelador de verduras. Tus esculturas perfumadas están listas.

COLAGES DIVERSOS

La técnica del *colage* se conoce desde hace mucho tiempo pero sólo a partir de 1910, con artistas como Braque o Picasso, se consideró como un arte por derecho propio y no un mero pasatiempo.

■ Una carpeta decorada

Necesitarás:
- pliegos de papel glacé o lustre de distintos colores,
- pegamento,
- una regla,
- una carpeta vieja de argollas,
- cartón,
- cinta adhesiva.

1 Pega cartón en las esquinas dañadas para reforzarlas.

2 Pon un pliego de papel glacé o lustre sobre la cubierta. Dóblalo hacia el interior y pégalo.

3 Desgarra los pliegos de papel glacé o lustre en tiras de 1 cm de ancho. Después, pégalas de una en una, jugando con los colores y la disposición.

Sugerencia
Todas las hojas de papel están fabricadas en un sentido. Se desgarran fácilmente en tiras a lo largo, o bien, a lo ancho.

COLAGES DESGARRADOS
En los tableros para anuncios, los carteles se pegan unos encima de otros. Hacia 1960 varios artistas realizaron obras arrancando franjas irregulares para que asomaran las capas que estaban ocultas abajo.

Colage desgarrado de Mimmo Rotella

Un cofre con tiras cómicas

 ★ ★

Necesitarás:
- una caja de cartón grande,
- hojas de tiras cómicas (sacadas de revistas),
- tijeras,
- pegamento para papel pintado o papel tapiz,
- un recipiente,
- una brocha delgada,
- barniz.

1 Elige tiras cómicas a colores o en blanco y negro con estilos y personajes variados. Recórtalas en tiras.

2 Prepara el pegamento para papel pintado o papel tapiz siguiendo las instrucciones del paquete.

3 Pega las tiras sobre la caja, sin preocuparte del sentido. También puedes hacer varias capas. Deja secar unas horas, barniza y la caja estará lista.

■ Libreta postal

sellos postales o timbres pegados

libreta

■ Una caja para juegos

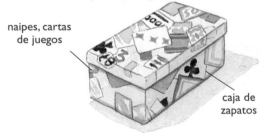

naipes, cartas de juegos

caja de zapatos

■ Las películas de la cartelera

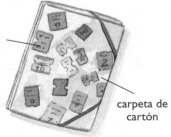

billetes o boletos de cine

carpeta de cartón

■ Una cajita multiusos

caja de chocolates

billetes o boletos de autobús, de metro o de tren, envolturas de caramelos

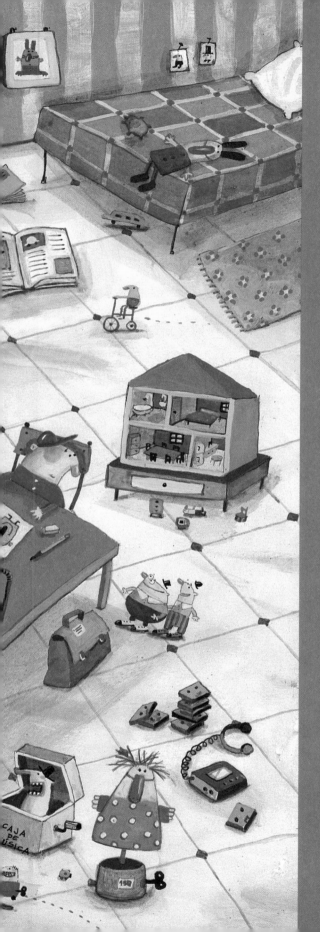

DECORACIONES Y ACCESORIOS

NOTA IMPORTANTE:
Todos los experimentos debes
realizarlos bajo la supervisión
de un adulto.

El biombo puede aislar una parte de tu habitación o separar un rincón de la pieza. También puedes exponer en él tu talento artístico.

■ Un biombo para exponer

Necesitarás:
- una caja grande de embalaje (de un mueble o nevera),
- hojas grandes de papel kraft (de embalaje),
- pegamento para papel pintado o papel tapiz,
- un balde o cubeta (o un recipiente),
- una brocha,
- un cuchillo con sierra,
- un cepillo,
- tijeras.

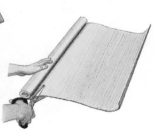

1 Con el cuchillo de sierra, abre la caja por una esquina. Deja las tapas de abajo para equilibrar el biombo.

2 Corta las hojas de papel kraft según el tamaño de cada sección del biombo.

3 En el balde o cubeta, prepara el pegamento para papel pintado o papel tapiz y engoma las hojas con la brocha.

4 Pega las hojas en las secciones del biombo sacando las burbujas con el cepillo y decóralas.

¡Atención!
Para preparar el pegamento del papel pintado, sigue las indicaciones del envase.

■ Decorados diversos

sombras

una proyección

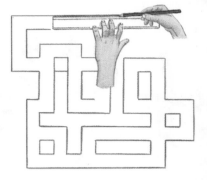

un laberinto

■ Una superficie adoquinada

Necesitarás:
- carpetas o fólders de cartulina de diferentes colores,
- un lápiz,
- tijeras,
- una regla,
- pegamento.

1 Dibuja y recorta un rectángulo.

2 Dibuja y recorta un fragmento del rectángulo. Pégalo con cinta adhesiva en el borde paralelo.

Esta composición decorativa de Escher se obtiene repitiendo un motivo.

3 Dibuja en las carpetas o fólders el contorno de esta forma. Después, recorta cada uno.

4 Pégalos sobre el biombo; todos encajan.

recortes

siluetas

pasos

Las papirolas son delicadas esculturas de papel, creadas con los dedos como única herramienta. También se les conoce por su nombre japonés, *origami*, que significa "papel doblado".

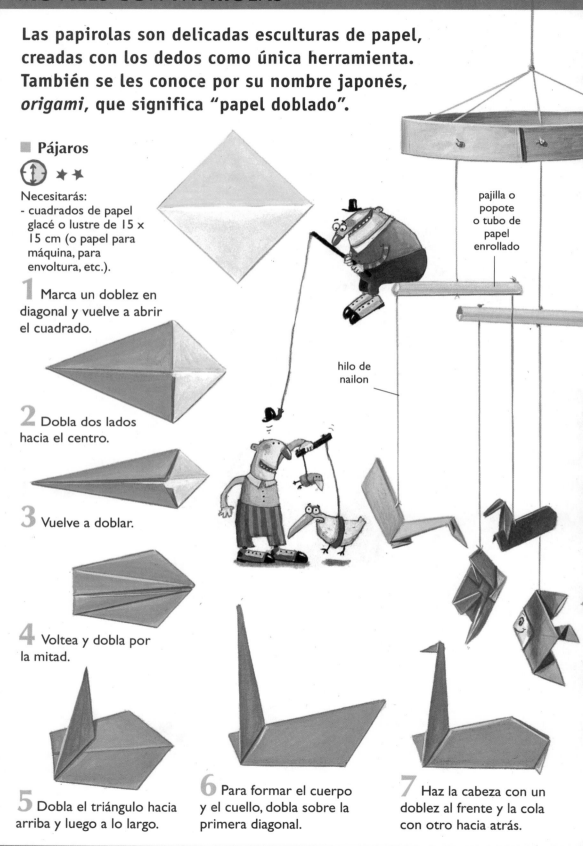

■ Pájaros

★ ★

Necesitarás:
- cuadrados de papel glacé o lustre de 15 x 15 cm (o papel para máquina, para envoltura, etc.).

1 Marca un doblez en diagonal y vuelve a abrir el cuadrado.

2 Dobla dos lados hacia el centro.

3 Vuelve a doblar.

4 Voltea y dobla por la mitad.

5 Dobla el triángulo hacia arriba y luego a lo largo.

6 Para formar el cuerpo y el cuello, dobla sobre la primera diagonal.

7 Haz la cabeza con un doblez al frente y la cola con otro hacia atrás.

pajilla o popote o tubo de papel enrollado

hilo de nailon

■ Peces

banda de cartón

Necesitarás:
- cuadrados de papel de colores de 15 x 15 cm.

1 Marca los dobleces en el papel.

2 Dobla las cuatro esquinas.

3 Dobla otra vez las cuatro esquinas.

4 Desdobla.

5 Dobla un ángulo hacia atrás.

6 Forma tres puntas en las otras tres esquinas. Aplánalas.

7 Dobla la cola.

8 Voltea la papirola. Tu pez está listo.

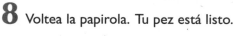

Transforma tu habitación en un mundo extraño o maravilloso, lleno de luces de colores.

¡Así soy yo! ¡Extraño maravilloso y MALÉFICO!

■ Una esfera de espejos

Necesitarás:
- una esfera de poliestireno (15 cm de diámetro),
- papel reflejante (de envoltura),
- 6 cuadrados pequeños de cartón (4 x 4 cm),
- un tubo de cartón (de toallas de papel),
- una linterna de mano,
- 3 tornillos gruesos,
- un clip,
- hilo de costura,
- cartón,
- pegamento,
- lápiz,
- una chincheta o chinche.

1 Dibuja el contorno de la linterna en el cartón y recorta el disco. Corta el diámetro del tubo.

2 Con cinta adhesiva, fija el tubo de cartón y el disco perforado a la linterna.

3 Haz pequeños cortes en la esfera y pega los seis cuadrados. Encaja los tornillos para darle peso.

Cuelga la esfera, hazla girar y alúmbrala con la linterna. ¡Qué espectáculo!

4 Recorta pequeños cuadrados de papel reflejante y pégalos a la esfera.

5 Abre el clip para hacer un gancho y fíjalo. Anuda el hilo y sostén todo con cinta adhesiva.

Sugerencia
Usa un motor de juguete o un viejo tocadiscos para darle movimiento.

ESPECTÁCULOS CON LÁSER

Espectáculo con láser de Jean Michel Jarre

El láser emite un haz de luz muy delgado. El haz se desvía mediante espejos móviles para "dibujar" en el espacio.

¡Vaya! ¡que' espectáculo!

¡BAH!

■ Un ambiente multicolor

  ★

Necesitarás:
- Dos linternas de bolsillo planas,
- papel celofán de colores,
- cinta adhesiva,
- ligas,
- cordel de cocina.

1 Une las dos linternas de bolsillo con las ligas. Después, fija otra liga al gancho de una de las linternas y anuda el hilo.

2 Pega el papel celofán a las linternas con cinta adhesiva. Cuelga el cordel del borde de un estante, por ejemplo. Haz girar el conjunto.

SEMBRADOS EXTRAORDINARIOS

En los jardines pueden crearse verdaderas esculturas con plantas pero también hay muchas formas de crear jardines bajo techo de gran originalidad.

■ Paisajes vegetales

  ★

Necesitarás:
- una caja,
- una fotografía de un paisaje (o un espejo),
- tierra,
- guijarros,
- plantas pequeñas.

¿Qué plantas usar?
Begonia, hiedra, telefio, musgo, helechos, cactos.

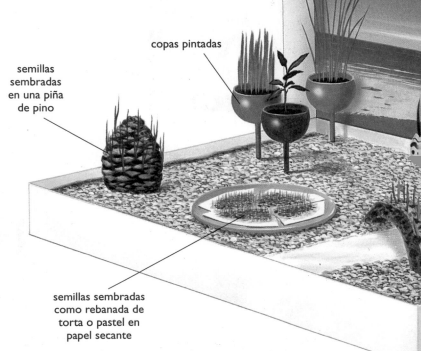

copas pintadas

semillas sembradas en una piña de pino

semillas sembradas como rebanada de torta o pastel en papel secante

■ Plantas esféricas

  ★ ★

Necesitarás:
- 4 cuadros de cartulina pintados de verde,
- un palito,
- alambre,
- pegamento,
- una maceta con hiedra.

1 Pega los cuadros doblados al palito para hacer un molde.

2 Enrolla el alambre alrededor del molde para cubrirlo.

3 Clava el molde en la maceta y cuelga la hiedra del alambre.

4 Controla regularmente el crecimiento de la planta dirigiéndola hacia donde tú quieras.

¿Qué semillas sembrar?

pasto, berros, lentejas, trigo, cebada, soya, albahaca, perejil, zanahorias.

capa de tierra

capa de grava

huevos pintados con tinta china

■ Cabezas hirsutas

Necesitarás:
- una media de nailon vieja,
- arena,
- semillas de césped.

1 Corta la pierna de la media de nailon por ambos extremos. A la mitad, coloca un puñado de semillas de pasto para el cabello.

2 Llena con cinco a seis puñados de arena y pon semillas para la barba.

3 Anuda la media con fuerza. Enseguida, moldea la cara.

OBRAS EFÍMERAS

Algunos artistas contemporáneos dibujan, pintan o esculpen con flores, praderas, ríos, colinas o nieve para embellecer los paisajes momentáneamente.

4 Riega abundantemente. Después, humedece con frecuencia. En pocos días, tendrás que recortar el "cabello".

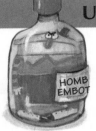

Pon el mar y un bote de motor o un velero en una botella, como lo han hecho los marinos desde hace mucho tiempo.

■ Un bote de motor

Necesitarás:
- una botella de vidrio de boca ancha,
- un bloque de poliestireno,
- ún cuchillo de sierra,
- papel de lija,
- fósforos,
- marcadores o plumines,
- pasta para modelar o plastilina azul,
- una cuchara.

1 Con la cuchara, coloca la pasta para modelar o plastilina en la botella. Es el mar.

2 Dibuja, corta y esculpe el casco en el poliestireno. Alísalo con el papel de lija.

■ Un velero

Necesitarás:
- el mismo material que para el bote de motor,
- una hoja de papel,
- cinta adhesiva,
- 1 m de hilo de coser,
- alfileres,
- cable eléctrico rígido,
- pinzas,
- una broca de 8 mm de diámetro.

1 Haz el casco de poliestireno. Perfóralo con la broca por arriba y por un costado.

2 Para hacer el mástil, corta un trozo de cable eléctrico y curva un extremo con las pinzas.

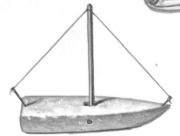

3 Introduce el mástil. Clava un trozo de cable eléctrico para sostenerlo. ¡El mástil está listo!

4 Anuda dos hilos en lo alto del mástil. Con alfileres, fija un hilo al frente y otro atrás. El mástil se mantendrá erguido.

¿Cómo se llaman?

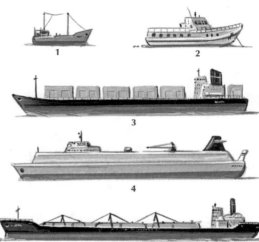

1

2

3

4

5

6

7

ÑAM

3 Haz las cabinas y las chimeneas con poliestireno y fósforos. Decora el bote. Al final, ponlo en la botella.

a) carguero; b) petrolero; c) portacontenedores; d) transbordador de mercancías; e) carguero a granel; f) bou; g) yate de motor.

Soluciones págs. 188-191

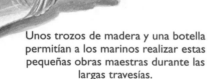

Unos trozos de madera y una botella permitían a los marinos realizar estas pequeñas obras maestras durante las largas travesías.

Sugerencia
Corta el mástil a una altura conveniente y verifica conforme avanzas que el bote quepa en la botella.

5 Corta las velas en papel blanco y fíjalas con cinta adhesiva.

6 Quita un alfiler, acuesta el mástil y mete el bote en la botella. Tira del hilo y clava el alfiler. ¡Listo!

DECORADOS RÁPIDOS

En pocos días habrá fiesta. Aquí tienes algunas ideas para decorar tu casa en cualquier ocasión.

■ Móviles

  ★ ★

Necesitarás:
- papel glacé o lustre, crepé o de envoltura,
- tijeras.

tira de papel doblada en dos y recortada

1 Dobla un cuadrado de papel en cuatro, en seis o en ocho y hazle cortes.

2 Según los cortes, los motivos serán diferentes. Ten cuidado de desdoblar con delicadeza.

■ Dibujos en las ventanas

Dobla el papel en ocho y recorta los motivos. Rocía blanco de España o nieve artificial en los huecos que obtengas.

■ Un ramo de caramelos

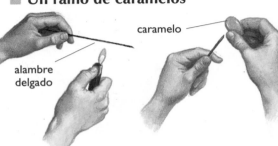

caramelo

alambre delgado

Calienta el extremo del alambre con ayuda de un adulto y clávalo en los caramelos. Forma el ramo según el gusto de los más golosos.

Un corazón tejido

  ★ ★

Necesitarás:
- rectángulos de papel de diferentes
  colores,
- tijeras.

1 Dobla los rectángulos en dos y recorta
dos lengüetas.

2 Teje las bandas. El corazón está listo
para llenarlo.

Flores para colgar

tira doblada, recortada,
pegada en tubo y cerrada

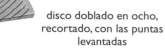

disco doblado en ocho,
recortado, con las puntas
levantadas

tres rectángulos de papel
plegados en acordeón,
recortados, doblados en
dos y pegados uno con otro

Guirnaldas

papel
doblado
en dos

Dobla un papel y
recorta los eslabones
de las guirnaldas.

papel
doblado
en cuatro

¡PERO QUÉ BOLITA MÁS SIMPÁTICA!

Tres, dos, uno, ¡arrancan! La bolita sube el puente, toma la curva, desaparece por el túnel, salta la rampa, baja por la pendiente... y cruza la meta. Tú podrás inventar el recorrido más inclinado, el más accidentado, el más ingenioso.

Necesitarás:
- hojas para máquina de escribir,
- cinta adhesiva,
- una regla de 4 cm de ancho,
- tijeras.

1 Dobla una hoja en dos y córtala.

2 Levanta los bordes contra la regla.

CHUG
CHUG

¿QUÉ ES LA PENDIENTE?

Las carreteras y vías férreas no pueden tener una pendiente muy inclinada. Los viaductos, los terraplenes, los puentes y los túneles permiten atenuarla. Una pendiente de 10% significa que, en 100 metros, el camino baja 10 metros. ¡Sin duda, hay que usar los frenos!

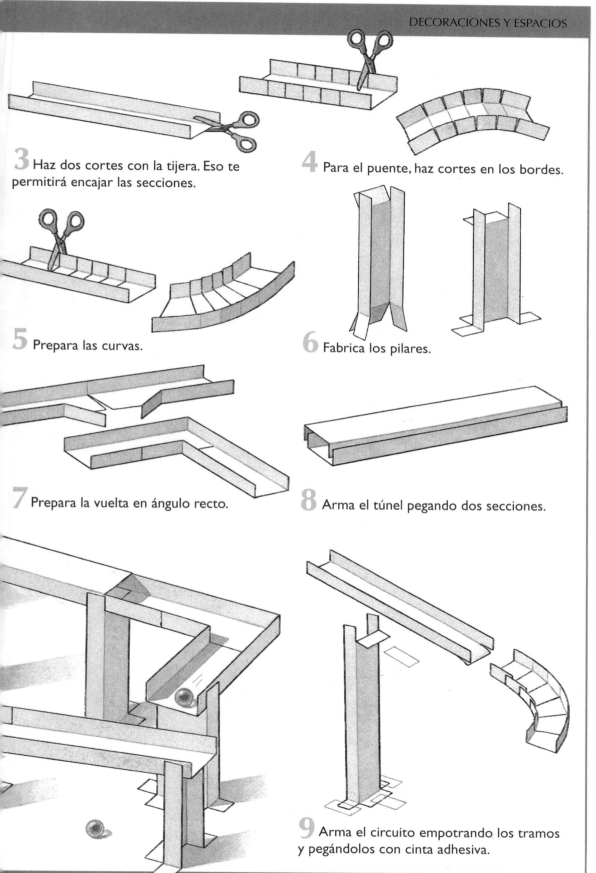

3 Haz dos cortes con la tijera. Eso te permitirá encajar las secciones.

4 Para el puente, haz cortes en los bordes.

5 Prepara las curvas.

6 Fabrica los pilares.

7 Prepara la vuelta en ángulo recto.

8 Arma el túnel pegando dos secciones.

9 Arma el circuito empotrando los tramos y pegándolos con cinta adhesiva.

He aquí una casa con más de ocho habitaciones
en dos pisos, alumbrado eléctrico, alfombras
y muebles cómodos. ¡Qué felices estarán sus
futuros habitantes!

■ **Una casa abierta**

Necesitarás:
- cajas de embalaje
  idénticas,
- una regla grande,
- cinta adhesiva ancha,
- tijeras,
- un cuchillo de sierra,
- pegamento.

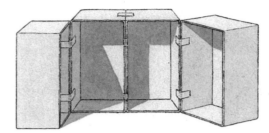

1 Corta las tapas de las cajas con el cuchillo de sierra.
Une las cajas con la cinta adhesiva.

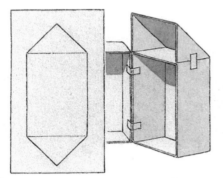

2 Dibuja y recorta los techos. Pégalos a la
casa con cinta adhesiva.

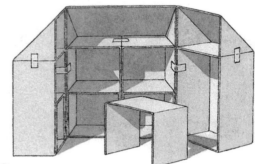

3 Recorta tiras de cartón, dóblalas y
pégalas para hacer los pisos.

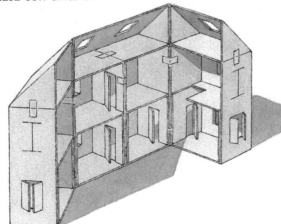

4 Con el cuchillo, recorta las puertas, las
ventanas y los huecos para las escaleras.

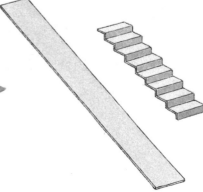

5 Corta tiras de cartón que midan dos
veces la altura de un piso. Dóblalas en
acordeón para hacer las escaleras.

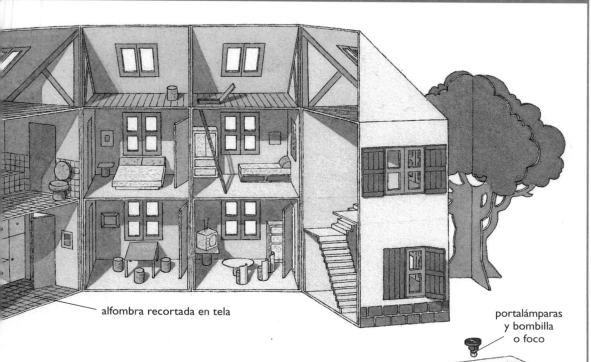

alfombra recortada en tela

portalámparas
y bombilla
o foco

■ El mobiliario

objetos recortados en
poliestireno, unidos con
alfileres y coloreados
con marcadores o
plumines

trozo de
cartón
pegado a
un corcho

fósforos o
corchos para
las patas

tablero de cartón

■ La iluminación

 ★ ★

Necesitarás:
- 2 portalámparas
  y 2 bombillas o focos
  pequeños,
- 2 broches de dos patas,
- una pila de 4.5 V,
- 2 clips,
- trozos de cable
  eléctrico delgado con
  las puntas descubiertas,
- tijeras.

1 Con la punta
de las tijeras, haz los
agujeros. Coloca
los portalámparas e
inserta las bombillas
o focos.

2 Perfora el cartón y
coloca los broches de
dos patas que servirán
como interruptor.

3 Prepara el
circuito eléctrico y
conecta la pila. Al
girar el broche de
dos patas, la bombilla
o foco se enciende.

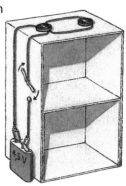

Para construir un castillo, elige de preferencia un área despejada. Haz las murallas y coloca en el centro un torreón.

la torre de guerra, montada sobre ruedas para alcanzar las almenas

■ Una fortaleza

Necesitarás:
- rectángulos, discos y una tira de cartulina,
- un cartón grande,
- cinta adhesiva,
- pegamento,
- una regla grande,
- tijeras,
- lápiz,
- cordel.

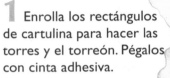

1 Enrolla los rectángulos de cartulina para hacer las torres y el torreón. Pégalos con cinta adhesiva.

hendiduras para plegar

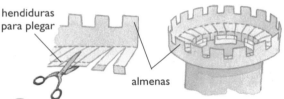

almenas

2 En la tira de cartulina, recorta las hendiduras para plegar y las almenas del borde. Pega los extremos y fíjala con cinta adhesiva al torreón.

el trabuco, especie de honda gigante

3 Con los discos de cartulina, forma los conos y pégalos. Después, fíjalos a las torres con cinta adhesiva.

4 Dibuja y recorta las murallas y la entrada del castillo. No olvides hacerles almenas y rebordes o pestañas para pegar.

5 Dibuja y recorta los muros de un edificio, con almenas y pestañas para pegar. Fíjalo al torreón.

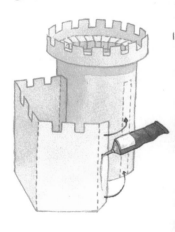

el maganel, catapulta que podía lanzar piedras muy pesadas

¡AL ATAQUE!
Para apoderarse de un castillo, era necesario sitiarlo. Los sitios solían ser largos, pese al empleo de máquinas especiales.

el ariete, un tronco de árbol reforzado para derribar puertas

6 Pega las murallas a las torres y fija todo el conjunto al cartón. Dibuja el foso y recorta la base.

7 Dibuja, recorta y pega el puente levadizo. Haz dos agujeros en el muro y dos en el puente y pasa el trozo de cordel.

Al fin los casetes y los discos compactos tendrán un sitio adecuado. Con los auriculares o audífonos puestos, prepárate para disfrutar la música.

■ **Música en cajas**

Necesitarás:
- 9 cajas de zapatos idénticas,
- lápiz,
- engrampadora o engrapadora,
- tijeras,
- pegamento,
- cinta adhesiva,
- cinta adhesiva de color,
- papel pautado,
- chinchetas o chinches.

1 Coloca dos cajas en ángulo recto y marca el lado largo. Repite sobre el otro lado y sobre el fondo.

2 Corta la caja siguiendo las líneas. Desliza la sección pequeña en la más grande. Pega y engrapa las secciones. Forma así las nueve cajas.

Para lograr una mejor audición, necesitas orientar los dos altavoces o bocinas y colocarte en el punto donde converge su sonido.

Tomás Edison grabando en un rodillo

DEL FONÓGRAFO AL CD

La primera grabación fue hecha en un rodillo de cera por Tomás Edison en 1878. Diez años más tarde nació el disco: era una placa de cinc recubierta de cera, con un surco en espiral. Le siguieron los acetatos de larga duración poco antes de 1950; los casetes hicieron su aparición a principios de los años 60. En la década de 1980, el sonido se volvió numérico (digital) y el rayo láser sustituyó a la aguja. Comenzó la era del disco compacto o CD.

3 Pega las cajas para formar un bloque. Refuerza el fondo y los cuatro costados con cinta adhesiva. Pega el papel pautado en los costados y decora los compartimientos. Decora el canto con cinta adhesiva de color.

4 Coloca el conjunto en su sitio. ¡Un espacio para cada estilo!

■ Un soporte para *walkman* MR

Necesitarás:
- una tira de cartón rígido (5 x 50 cm),
- un rectángulo de cartón (8 x 20 cm),
- una caja de zapatos,
- una regla,
- cinta adhesiva,
- pegamento,
- un bolígrafo sin tinta,
- marcadores o plumines.

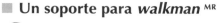

3 cm   18 cm   8 cm   18 cm   3 cm

5 cm

50 cm

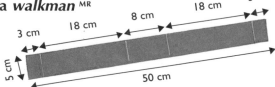

1 En la tira de cartón, marca los dobleces con el bolígrafo como muestra el dibujo. Repasa varias veces y luego dobla la tira.

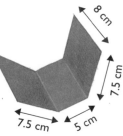

8 cm

7.5 cm

7.5 cm   5 cm

2 Marca y dobla de igual modo el rectángulo de cartón.

3 Pega el conjunto a la caja. Une las dos partes por dentro con cinta adhesiva. Coloca tu walkman en la caja, los auriculares o audífonos sobre el marco y el cable en la cajita.

¿Paredes vacías? ¡Qué tristeza! Decora tu casa. Así parecerá una galería llena de color.

■ Una orla o paspartú

Necesitarás:
- una tarjeta postal,
- un rectángulo de cartón rígido (20 x 25 cm),
- un rectángulo de cartulina de color (20 x 25 cm),
- un lápiz,
- una navaja o *cutter*,
- una sierra (y una caja de ingletes),
- una tira de madera (de 1 m de largo),
- pegamento,
- un clip,
- cinta adhesiva,
- un clavo.

1 Coloca la tira de madera sobre un costado del cartón. Marca los dos trazos y corta la tira con la sierra. Repite la operación con los otros lados.

2 Marca el contorno de la tarjeta postal sobre la cartulina. Después, con ayuda de un adulto, traza y corta con la navaja una ventana un centímetro más pequeña.

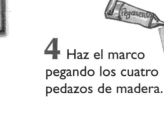

3 Pega la tarjeta postal al cartón. Pega encima la cartulina.

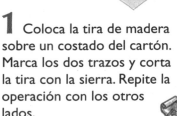

4 Haz el marco pegando los cuatro pedazos de madera.

PASPARTÚS Y MARIALUISAS

En el enmarcado, la orla o paspartú es un cartón colocado sobre el cuadro en el que se recorta una ventana para dejar sólo una parte a la vista. La marialuisa cumple la misma función, pero tiene relieve.

5 Abre un clip y pégalo por atrás del cuadro con cinta adhesiva. Sólo falta poner el clavo en la pared para colgarlo.

■ Un marco práctico

Necesitarás:
- un espejo rectangular,
- manguera aislante de espuma plástica negra (4 cm de diámetro),
- una tira de tela (de 15 cm de ancho),
- hilo y aguja,
- tijeras,
- alfileres grandes de cabeza redonda.

1 Desliza la manguera sobre los bordes del espejo. Córtala del tamaño exacto y quítala.

2 Corta la tira de tela del mismo largo. Cubre la manguera con la tela, metiendo las dos orillas en la hendidura.

3 Vuelve a colocar la manguera ya cubierta en los bordes del espejo. Cose los extremos de la tela.

4 Clava los alfileres en el marco. Cuelga allí tus accesorios: anillos, collares, relojes, broches, etc.

■ Un marco de lápices

Necesitarás:
- un cartón grande,
- un dibujo para enmarcar,
- pegamento,
- lápices y bolígrafos usados (de 3 a 5 cm de largo).

1 Pega el dibujo en el centro del cartón.

2 Alrededor del dibujo, pega lápices y bolígrafos para formar un marco. Coloca los lápices en todo sentido: vertical, horizontal o diagonalmente.

Sugerencia
El marco realza la imagen pero el estilo, el tamaño, los materiales y los colores deben armonizar con ella.

■ Entre la foto y el vidrio

En un marco con vidrio, coloca una fotografía y rodéala con diversos objetos. Sólo recuerda que deben ser muy delgados.

hojas de otoño

¡Feliz cumpleaños!

recuerdos de grupo

ACCESORIOS DE ESCRITORIO

Basta de tener lápices por todo el escritorio, clips perdidos, disquetes revueltos. Con estos accesorios, todo estará al alcance de la mano.

■ Un tablero de rejilla

  ★ ★

Necesitarás:
- 50 cm de rejilla cuadriculada de plástico blanco (en tiendas de jardinería o manualidades),
- listón de madera cuadrado (de 1.5 cm),
- una sierra,
- 2 cordones negros de zapatos,
- pintura,
- pinzas pequeñas de colores para ropa,
- ganchos de colores para papel,
- 4 triángulos de cartón (de 4 cm de lado),
- pegamento para madera,
- clavos pequeños.

1 Marca y corta con la sierra cuatro pedazos del tamaño del cuadro.

2 Pega el marco y clava los triángulos de cartón en las cuatro esquinas.

3 Píntalo de un color alegre y déjalo secar.

4 Coloca la rejilla sobre el cuadro y átala con los cordones arriba y abajo. Anuda con fuerza, dejando una lazada para colgar el cuadro. ¡Está listo para usarse!

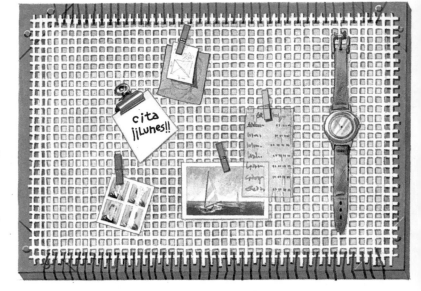

Tendrás a la vista los horarios de la escuela, la información sobre tu animal preferido, fechas especiales, números de teléfono importantes, un recuerdo de las vacaciones...

DISTINTOS ESCRITORIOS

La palabra "escritorio" suele referirse a un mueble sobre el cual se escribe. Pero, ¿sabías tú que también se llama "escritorio" al lugar donde trabajan y tienen su despacho los hombres de negocios? Tú puedes tener tu propio escritorio, con todo bien ordenado para el trabajo escolar.

■Un guarda-todo

Necesitarás:
- un cartón grande
  (cartón rígido o
  cartón corrugado),
- cajas de distintos
  tamaños,
- papel periódico,
- pegamento para
  papel pintado
  o papel tapiz,
- un recipiente,
- pintura,
- una regla graduada,
- tijeras,
- pegamento.

1 Recorta las cajas según el tamaño del contenido y llénalas.

2 Acomódalas sobre el cartón y verifica que los objetos salgan con facilidad. Después, dibuja su ubicación.

3 Vacía las cajas y pégalas al cartón.

4 En el recipiente, prepara el pegamento para papel pintado o papel tapiz. Corta el papel periódico en tiras largas de 2 cm de ancho.

5 Humedece las tiras de papel periódico en el pegamento y pégalas al guarda-todo, cubriendo el interior y el exterior de las cajas. Deja secar.

6 Pinta el conjunto. Ya sólo falta colgarlo y llenarlo.

■ Soportes para libros

Necesitarás:
- una caja de
  zapatos,
- tijeras,
- marcadores
  o plumines.

7 cm

1 Recorta las cuatro esquinas de la caja y decóralas.

2 Coloca los libros entre las esquinas. ¡Ya no se caen!

CALENDARIOS

¿Qué día es hoy? ¿Qué fecha es? Con estos calendarios, siempre tendrás la respuesta.

■ Calendario de círculos

 ★ ★

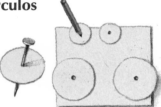
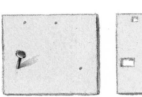

Necesitarás:
- 2 rectángulos de cartulina (20 x 15 cm),
- 4 discos de cartulina (2 de 6 cm de diámetro y 2 de 12 cm),
- 4 broches de dos patas,
- una navaja o *cutter*,
- un lápiz,
- cinta adhesiva,
- un clavo,
- pegamento,
- marcadores o plumines (o pintura).

1 Perfora los cuatro discos con el clavo. Colócalos sobre los dos rectángulos superpuestos. Marca la ubicación de los agujeros y perfóralos.

2 En uno de los rectángulos, haz cuatro ventanas con la navaja, con ayuda de un adulto.

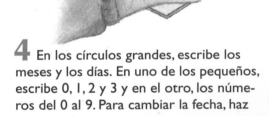

3 Arma el calendario con los broches de dos patas y decóralo.

4 En los círculos grandes, escribe los meses y los días. En uno de los pequeños, escribe 0, 1, 2 y 3 y en el otro, los núme-ros del 0 al 9. Para cambiar la fecha, haz girar los discos.

Adivinanza

¿Sabes de dónde se derivan los nombres de los días?

LUNES
MARTES
MIÉRCOLES
JUEVES
VIERNES
SÁBADO
DOMINGO

Soluciones págs. 188-191

Calendario en tiras

Necesitarás:
- un rectángulo de cartón
  (40 x 30 cm),
- 4 tiras de cartulina
  (3 cm de ancho),
- tijeras,
- un lápiz,
- pegamento,
- una navaja o *cutter*,
- cinta adhesiva,
- un trozo de cordel.

1 En una tira de cartulina, escribe los meses; en otra, los días; en la tercera, las cifras 0, 1, 2 y 3 y en la cuarta, los números del 0 al 9.

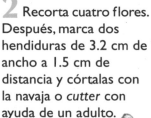

2 Recorta cuatro flores. Después, marca dos hendiduras de 3.2 cm de ancho a 1.5 cm de distancia y córtalas con la navaja o *cutter* con ayuda de un adulto.

3 Arma tu calendario deslizando las tiras dentro de las flores.

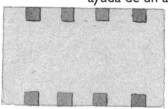

4 Pega el extremo de las tiras al cartón con cinta adhesiva. Puedes colgarlo con el cordel.

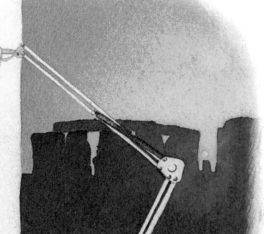

Sugerencia
Decora el calendario para hacer un jardín o un ramo de flores. Con caras de animales, será un calendario zoológico. Con carátulas de relojes, tendrás un calendario muy puntual.

EL CALENDARIO GREGORIANO

Un día corresponde a lo que dura una rotación de la Tierra sobre su propio eje y el año es el tiempo en que la Tierra da una vuelta alrededor del Sol. Durante mucho tiempo, los hombres intentaron crear un calendario solar que reflejara fielmente el tiempo y el ritmo de las estaciones. En 1582, el Papa Gregorio XIII dio su nombre al calendario que se sigue utilizando hoy en día en todo el mundo.

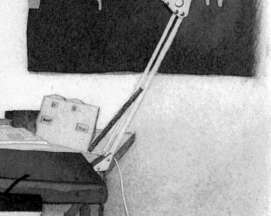

A las hojas sueltas se las lleva el viento. Empastadas se convierten en libreta, cuaderno, libro o diario.

■ **Diario de viajes**

  ✦ ✦

Necesitarás:
- papel para máquina de escribir,
- 2 rectángulos de cartón (10.5 x 15 cm),
- cordel,
- tijeras,
- una perforadora,
- una regla graduada,
- un lápiz.

1 Dobla las hojas en cuatro y córtalas.

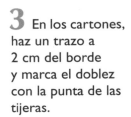

2 Con la perforadora, haz tres agujeros cerca del borde de las hojas y de los cartones.

3 En los cartones, haz un trazo a 2 cm del borde y marca el doblez con la punta de las tijeras.

4 Coloca las hojas entre las tapas. Pasa el cordel por los agujeros y anuda los extremos (ve el dibujo de abajo).

En tus paseos, no olvides nada: un monumento asombroso, el nombre raro de un pueblo, una flor hermosa. Dibuja o narra todo en la libreta que tú mismo habrás fabricado.

■ Cuaderno en media luna

Necesitarás:
- 6 círculos de cartulina (de 24 cm),
- una aguja de coser,
- hilo grueso de algodón de color,
- tijeras,
- un lápiz,
- una regla graduada.

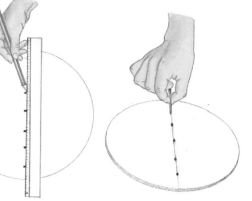

1 Dobla los círculos en dos. Ábrelos y marca puntos en el doblez cada 4 cm.

2 Perfora las marcas con la aguja.

3 Haz el cuaderno uniendo las hojas. Cóselo. Ahora, escribe poemas o canciones.

Enigma

En una investigación policiaca, un sospechoso declara que la prueba de su inocencia se encuentra en un papel colocado entre las páginas 83 y 84 del tercer libro del estante. El comisario lo detiene de inmediato.
¿Por qué?   Soluciones págs. 188-191

■ Libretas festivas

para San Valentín

para los cuentos de Navidad

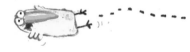

Algunos dobleces, algunos cortes y obtendrás un verdadero espectáculo de maravillosos mecanismos de papel.

■ Una hoja en movimiento

Necesitarás:
- cartulina,
- papel,
- pegamento,
- tijeras,
- un broche de dos patas,
- una navaja o *cutter*,
- marcadores
  o plumines,
- un compás.

1 Dobla una hoja en dos. Haz un corte con la tijera y marca el doblez del triángulo. Abre la hoja y forma el pico invirtiendo el pliegue.

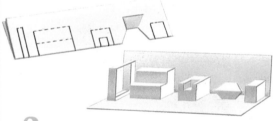

2 Haz las gradas o escaleras cortando sobre el doblez de una hoja. Dobla las partes recortadas hacia adentro.

rectángulo plegado en acordeón y doblado en dos

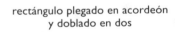

semicírculo plegado en acordeón

3 Haz una serie de dobleces en acordeón o en abanico y pega el elemento doblado a los dos lados.

6

4

7

He aquí algunos ejemplos de figuras con movimiento.

4 Con ayuda de un adulto, recorta una ventana en el soporte con la navaja y fija el disco con un broche de dos patas. Dibuja los motivos que asomarán por la ventana.

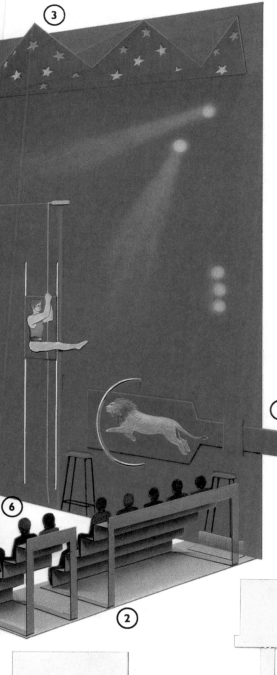

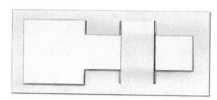

5 Haz dos ranuras y desliza una figura recortada.

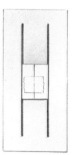 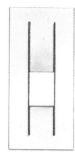

6 Haz una corredera doblando un rectángulo. Desliza éste entre las dos ranuras del soporte.

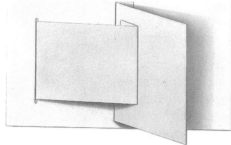

7 Para hacer un postigo, pega dos cartones doblados. Desliza uno por una hendidura y pega el otro.

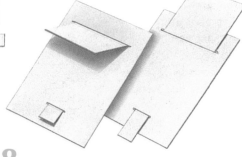

8 Dibuja, recorta y dobla la parte móvil. Introdúcela en las dos ranuras del soporte.

Como todo un joyero, crea tus propios collares, anillos, broches y otros accesorios de adorno para usarlos o para regalarlos.

■ Brazalete brasileño

Necesitarás:
- hilos multicolores de algodón (de la mercería),
- un alfiler de seguridad o seguro.

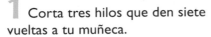

1 Corta tres hilos que den siete vueltas a tu muñeca.

2 Dobla los tres hilos a la mitad (para obtener seis hebras). Haz un nudo junto a las lazadas. Éstas servirán para anudar el brazalete ya terminado.

3 Con el alfiler de seguridad o seguro, préndete la lazada al pantalón. Extiende los seis hilos en orden 1, 2, 3; 1, 2, 3.

4 Con el primer hilo de la izquierda, haz dos nudos sucesivos pasando por encima y debajo del hilo situado inmediatamente a la derecha. Repite estos dos nudos con todas las hebras que siguen. Al final, pon el primer hilo después de los demás.

El primer nudo debe estar bien apretado antes de hacer el segundo.

■ Anteojos a la medida

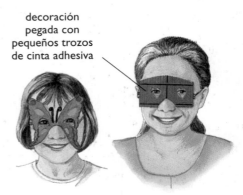

decoración pegada con pequeños trozos de cinta adhesiva

Recorta el papel según el tamaño de los anteojos y tu propia inspiración.

5 Repite el punto 4 con el segundo hilo (que se convirtió en el primero) y con los demás, manteniendo el mismo orden.

Un broche

Necesitarás:
- papel periódico,
- un recipiente con agua,
- pintura y pinceles
  (o fotos, objetos
  diversos),
- un alfiler de
  seguridad o seguro,
- pegamento.

1 Arranca los márgenes de tres hojas de papel periódico (que no tengan tinta).

2 Remójalos en el recipiente con agua y revuelve de vez en cuando hasta obtener una pasta pegajosa.

3 Modela la pasta entre los dedos para hacer un medallón de la forma deseada. Comprímelo con fuerza bajo un objeto plano para exprimirlo. Déjalo secar varios días.

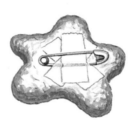

4 Decora el broche a tu gusto: con pintura, fotos, objetos pegados.

5 Por detrás, fija el alfiler de seguridad o seguro con varias tiras de papel y pegamento.

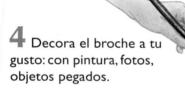

6 Termina el tejido con un nudo de las seis hebras juntas.

Un anillo

Para empezar el anillo, consigue un lápiz redondo del grueso de tu dedo y enrolla alambre de cobre alrededor. Según el caso, puedes dar una o dos vueltas. Deja 2 cm de alambre en cada extremo. Con una pinza, enrolla las puntas para crear los diseños que desees.

TRENCITAS DE COLORES

Rectas o en espiral, las trencitas son varias tiras tejidas entre sí de modo regular. Te servirán  para decorar tus accesorios favoritos.

¡VAMOS! ¡TÚ PUEDES!

UNO, DOS

¡UFF!

■ Trencita recta

1 Cruza las dos tiras.

2 Dobla las dos puntas.

3 Inserta la otra tira.

4 Aprieta el primer nudo.

5 Repite la operación: dos vueltas y dos inserciones por abajo.

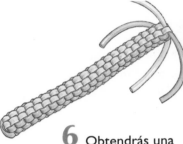

6 Obtendrás una trencita recta.

■ Trencita redonda

1 Haz el primer nudo.

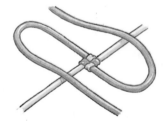

2 Haz dos lazadas cruzando las tiras al lado contrario.

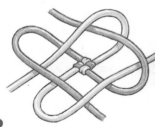

3 Inserta las otras dos tiras.

4 Aprieta.

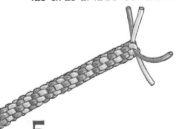

5 La sucesión de puntos te dará una trenza circular.

Sugerencia
Al final, corta los extremos de las tiras y pide a un adulto que los caliente con un encendedor para soldarlos.
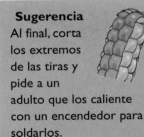

■ Trencita gruesa

trencita recta

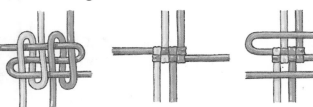 

Puedes hacer trencitas gruesas usando tres o más tiras, siempre con el mismo tejido básico: lazadas e inserciones.

trencita redonda

■ Trencita gigante

2 grupos de 4 tiras

■ Trencita tricolor

Forma lazadas con las tres tiras. Pasa cada par de tiras bajo el siguiente. Anuda con fuerza y repite.

■ Trencita en zigzag

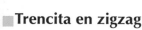

5 puntos redondos y 1 punto recto

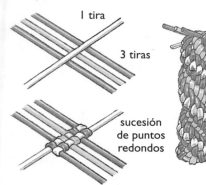

■ Trencita en espiral

1 tira

3 tiras

■ Trencita de cuatro colores

sucesión de puntos redondos

4 tiras pegadas dos y dos

JUEGOS Y JUGUETES

■ Haz tus propios juguetes

■ Juegos colectivos

■ Juegos y competencias

> NOTA IMPORTANTE:
> Todos los experimentos debes realizarlos bajo la supervisión de un adulto.

Los muñecos articulados son bien conocidos. Otras figuras o dibujos que saltan o trepan entran en acción en cuanto los tocas.

■ Un descenso accidentado

Necesitarás:
- una tira de contrachapado de 8 mm de grueso, 9.5 cm de ancho y 1 m de largo,
- clavos de 30 mm de largo,
- un martillo,
- un compás,
- cartulina,
- una hoja de papel.

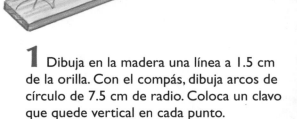

1 Dibuja en la madera una línea a 1.5 cm de la orilla. Con el compás, dibuja arcos de círculo de 7.5 cm de radio. Coloca un clavo que quede vertical en cada punto.

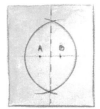

2 En una hoja de papel, marca dos puntos A y B. Dibuja dos arcos de círculo de 6.8 cm y une sus intersecciones.

Al bajar, los muñecos se balancean sobre los clavos en los puntos A y B.

3 Dobla la hoja en dos. Dibuja la mitad de un muñeco. Recorta y desdobla.

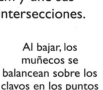

4 Dibuja el contorno en la cartulina. Corta el muñeco y coloréalo. ¡Está listo para el descenso!

■ Un ascenso rítmico

Necesitarás:
- una varita de madera cilíndrica de 15 cm,
- cordel de cocina,
- 2 cuentas de madera,
- cartón grueso,
- papel de lija,
- pegamento para todo uso,
- un cuchillo de sierra.

1 Haz cortes superficiales en la mitad y los dos extremos de la varita haciéndola rodar bajo el cuchillo.

2 Dibuja el muñeco en el cartón, recórtalo y coloréalo.

3 Por detrás del muñeco, pega las cuentas un poco al sesgo y deja secar.

4 Ata el hilo a la varita e introdúcelo por las cuentas. Sujeta un hilo con cada mano. Tira de un hilo y luego del otro. ¡El muñeco trepará haciendo gala de su fuerza!

■ Saltos y más saltos

Necesitarás:
- cartulina,
- broches de dos patas,
- 1.50 cm de cordel de cocina,
- un pedazo pequeño de poliestireno (de un empaque),
- un clavo.

poliestireno entre las manos

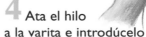

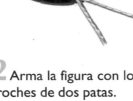 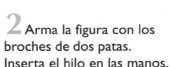

1 En la cartulina, dibuja y recorta las piezas de la figura. Haz los agujeros con el clavo.

2 Arma la figura con los broches de dos patas. Inserta el hilo en las manos.

3 Anuda los extremos del hilo. Tómalo entre ambas manos, cruzándolo como muestra el dibujo. Al tirar del hilo y aflojarlo, la figura hará toda clase de acrobacias.

¡Que se cae! ¡Que no se cae! ¿Qué pasará? Por impresionantes que parezcan sus proezas, son tan sólo las leyes del equilibrio.

El ciclista audaz

Necesitarás:
- una lámina grande de poliestireno,
- una arandela (o un disco de cartón),
- una pajilla o popote (2 trozos de 2 cm),
- un palito (de 6 cm de largo),
- 2 pinzas para ropa,
- cinta adhesiva,
- tijeras,
- cartulina,
- un compás,
- una regla,
- lápiz adhesivo,
- cordel de cocina.

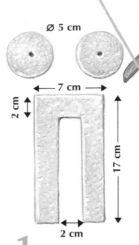

Ø 5 cm

7 cm

2 cm

17 cm

2 cm

1 Dibuja y recorta los elementos en el poliestireno.

2 Haz la rueda pegando la arandela entre los dos discos. Introduce el palito por el centro.

eje de la rueda

3 Dibuja los muñecos en la cartulina. Recórtalos y coloréalos. Pega el dibujo al soporte.

Dos pinzas para ropa, un cordel extendido y... ¡comienza la función!

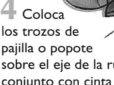

4 Coloca los trozos de pajilla o popote sobre el eje de la rueda. Pega el conjunto con cinta adhesiva.

■ El acróbata volatinero

  ★ ★

Necesitarás:
- una lámina de poliestireno,
- una aguja de tejer (de 3 mm de diámetro),
- 4 tapones de corcho,
- alambre mediano,
- un libro grande,
- una hoja de papel,
- lápiz adhesivo,
- 2 clips.

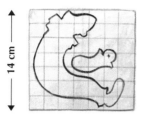

14 cm

1 En un cuadrado de papel, reproduce el contorno del acróbata. Recorta el patrón.

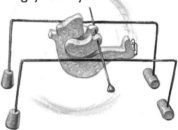

2 Dibuja los contornos del cuerpo y los brazos en el poliestireno. Recorta los tres elementos y pega los brazos al cuerpo. Introduce la aguja de tejer.

3 Haz las barras paralelas doblando el alambre alrededor del libro. Clava los extremos en los corchos.

4 Ponle lastre al acróbata con uno o dos clips. Suspendido, está listo para empezar. Al impulsarlo ligeramente, empieza a girar y avanza por las barras.

■ El pequeño alambrista

 ★

Necesitarás:
- una pinza de madera para ropa,
- pegamento para todo uso,
- una tira de cartón de 5 cm,
- 2 bolitas o canicas,
- cinta adhesiva.

¿Por qué no me caigo?
El equilibrio depende de la ubicación del centro de gravedad. Cuanto más abajo esté, más fácil es equilibrarse. Estos equilibristas son estables por los objetos pesados colocados en su parte baja.

CENTRO DE GRAVEDAD

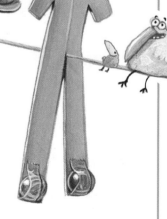

1 Desarma la pinza para ropa y pega las dos partes.

2 Dobla la tira de cartón y recorta la silueta.

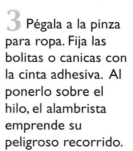

3 Pégala a la pinza para ropa. Fija las bolitas o canicas con la cinta adhesiva. Al ponerlo sobre el hilo, el alambrista emprende su peligroso recorrido.

JUGUETES DE MADERA COMO ANTES

Al empezar el siglo XX, casi todos los juguetes eran de madera. Tú puedes recuperar el ambiente de esa época haciendo tus propios juguetes.

■ La hélice sorprendente

Necesitarás:
- una vara de madera de 30 cm (12 mm de diámetro),
- una botella de plástico,
- un clavo pequeño,
- un compás,
- una escofina o lima,
- un martillo,
- tijeras,
- un marcador o plumín.

1 Con la lima, haz diez hendiduras en la vara.

2 Corta un rectángulo de 8 x 2.5 cm de la botella. Redondea un poco las esquinas.

3 Marca el centro y perfóralo con la punta del compás.

4 Arma la hélice con el clavo, sin meterlo hasta el fondo. La hélice debe girar libremente.

5 Sostén la vara sobre una mesa y frótala enérgicamente con el marcador o plumín. La hélice gira porque se transmiten las vibraciones por la vara.

LOS NIÑOS Y LOS JUGUETES

Tanto las muñecas descubiertas en las tumbas egipcias o griegas como los grabados e ilustraciones más recientes indican que, desde la antigüedad, los niños se divierten con juguetes. Esculpidos o elaborados con diversos materiales, se fabricaban a mano y los niños tenían sólo unos cuantos. No fue sino hasta después de 1920 que la industrialización permitió aumentar su número. Entonces se hacían de madera o de lámina y, a partir de 1960, se han hecho de plástico.

■ El animal saltarín

Necesitarás:
- 10 palitos de chupetes o paletas de helado,
- alambre (o clips),
- una broca pequeña,
- pinzas,
- marcadores o plumines,
- cartulina.

1 Marca en un palito los tres agujeros. Perfóralos con la broca.

2 Perfora uno por uno los demás palitos, con ayuda del primero.

3 Con las pinzas, haz trece grampas o grapas de alambre. Arma los elementos con las grampas y cierra éstas.

4 Dibuja, colorea y pega la cabeza del animal.

■ Equilibrios con animación

Necesitarás:
- una tira de madera de 1 m (de 5 x 18 mm),
- 4 clavos,
- cartulina,
- marcadores o plumines,
- chinchetas o chinches.

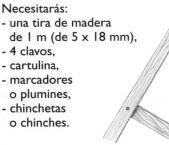

1 Corta cuatro tramos de la tira de madera y únelos con clavos.

2 Dibuja, colorea y fija los muñecos con las chinchetas o chinches.

JUGUETES VOLADORES

Con trozos de papel o cartulina podrás hacer curiosos objetos que vuelan, planean o giran delicadamente sostenidos por el aire.

■ Un planeador insólito

  ★

Necesitarás:
- 3 tiras de papel (21 x 3 cm, 15 x 4 cm y 21 x 4 cm),
- pegamento.

1 Dobla en cuatro la tira de papel de 21 x 4 cm y forma el fuselaje.

2 Pega las otras dos bandas en los extremos del fuselaje.

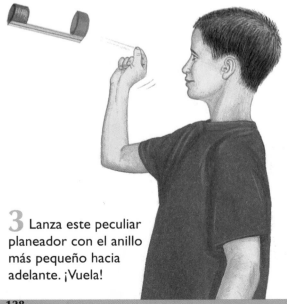

3 Lanza este peculiar planeador con el anillo más pequeño hacia adelante. ¡Vuela!

■ La hélice

  ★

Necesitarás:
- 3 tiras de papel de 2 cm de ancho,
- una regla,
- un lápiz.

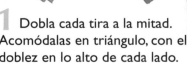

1 Dobla cada tira a la mitad. Acomódalas en triángulo, con el doblez en lo alto de cada lado.

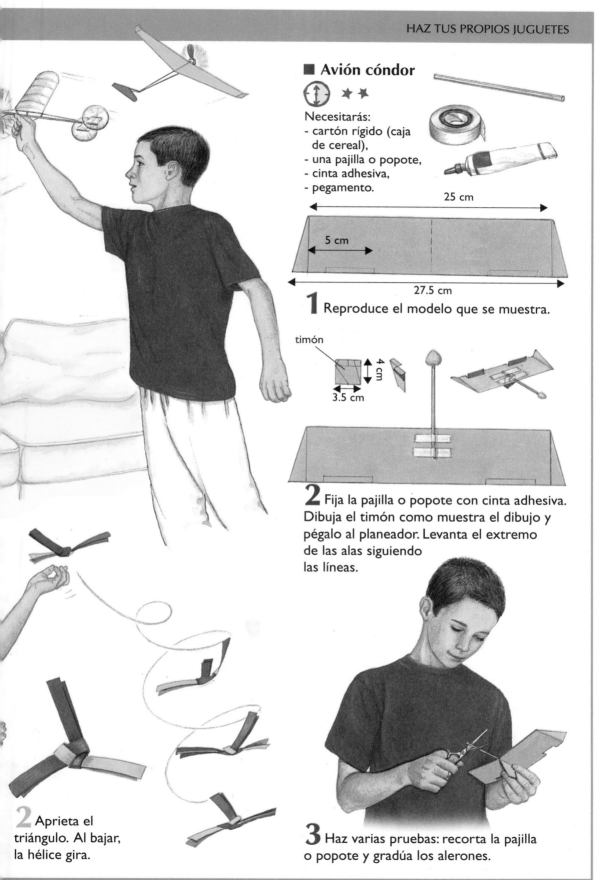

■ Avión cóndor

★ ★

Necesitarás:
- cartón rígido (caja de cereal),
- una pajilla o popote,
- cinta adhesiva,
- pegamento.

25 cm

5 cm

27.5 cm

1 Reproduce el modelo que se muestra.

timón

4 cm

3.5 cm

2 Fija la pajilla o popote con cinta adhesiva. Dibuja el timón como muestra el dibujo y pégalo al planeador. Levanta el extremo de las alas siguiendo las líneas.

2 Aprieta el triángulo. Al bajar, la hélice gira.

3 Haz varias pruebas: recorta la pajilla o popote y gradúa los alerones.

129

VEHÍCULOS CON RUEDAS

La rueda: ¡un invento maravilloso! Y provista de un eje, es aún más genial.

■ Un sube y baja

Necesitarás:
- una lámina de poliestireno,
- un tubo de medicamentos vacío,
- un tubo de toallas de papel,
- una tira de madera (o una regla de 30 cm),
- compás,
- pegamento,
- cinta adhesiva,
- dos muñecos,
- tijeras,
- dos ligas.

■ Carros

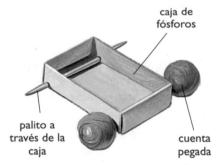

caja de fósforos

palito a través de la caja

cuenta pegada

caja de cartón

palito

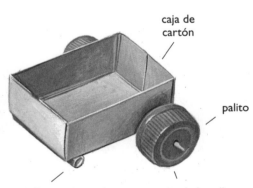

pajilla o popote pegado a la caja con cinta adhesiva

tapón de botella perforado con un clip caliente

1 Recorta un anillo del tubo de cartón.

2 Con cinta adhesiva, pega el anillo a la mitad de la regla.

3 Cierra el anillo alrededor del tubo de medicamentos sin apretarlo.

4 Dibuja y recorta las dos ruedas en el poliestireno. Pégalas al tubo.

5 Coloca los muñecos en equilibrio sobre la regla. Fíjalos con las ligas.

▪ Un vehículo de motor

Necesitarás:
- un vaso de yogur,
- 2 m de cordel,
- un carrete de hilo,
- una liga,
- una clavija de madera (o un lápiz),
- un clavo,
- 2 clips,
- cinta adhesiva.

1 Con el clavo caliente, haz tres agujeros.

2 Mete la liga por el orificio del carrete. Deténla con la clavija.

3 Mete el carrete en el vaso. Saca el cordel por el agujero de arriba. Fija la liga a cada lado del vaso con un clip y un trozo de cinta adhesiva.

4 Tira del hilo para retorcer la liga. ¡El vehículo rueda solo!

▪ Un tiovivo

caja de chocolates

hilo

trozo de madera con un clavo en el centro

carrete de hilo

bolitas o canicas

bote pequeño de yogur

VELEROS DE TIERRA Y DE MAR

En la playa, impulsado por el viento, el velero de tierra emprende una rápida carrera, rozando el agua. ¡No hay que dejarse rebasar!

■ **Una regata de veleros**

  ★

Necesitarás:
- una bandeja o charola de poliestireno,
- una aguja de tejer,
- una bolsa de plástico,
- un lápiz,
- cinta adhesiva,
- un alfiler,
- una zanahoria,
- hilo.

1 Corta dos rodajas de zanahoria y un trozo más grande. Encájalos en la aguja y clava ésta en la bandeja o charola.

2 Corta la vela en una esquina de la bolsa. Desliza el lápiz y cierra la vela con la cinta adhesiva.

3 Introduce el mástil en la vela. Fíjalo en lo alto con la cinta adhesiva. Anuda el hilo a un alfiler clavado en la parte posterior y pégalo al extremo de la vela. ¡La competencia puede empezar!

CEÑIRSE AL VIENTO
En una competencia, un velero se mueve en zigzag contra el viento. La vela queda expuesta al viento sucesivamente por la izquierda (babor) y luego por la derecha (estribor). A esto se le llama "ceñirse al viento".

Un velero de tierra

Necesitarás:
- 3 tiras de madera cuadradas de 1 cm
  de ancho (dos de 28 cm de largo y
  una de 20 cm de largo),
- 2 palitos redondos de 6 mm de
  diámetro (uno de 40 cm de largo y
  otro de 20 cm de largo),
- un sobrante de contrachapado
  (20 × 20 × 35 mm),
- 1 m de cordel de cocina,
- 3 ruedas tomadas de un
  juguete viejo,
- pinzas,
- 2 brocas (3 y 6 mm de diámetro),
- 10 cm de alambre mediano,
- una bolsa para basura,
- cinta adhesiva,
- un muñeco,
- 6 cuentas,
- 2 clavos,
- sierra,
- pegamento.

1 Pega las dos tiras de 28 cm. Marca las
dos hendiduras y hazlas con una serie de
pequeños cortes con la sierra.

6 mm de diámetro

3 mm de diámetro

10 cm

2 Haz un agujero en el contrachapado
(broca de 6 mm), otro en el mástil (broca
de 3 mm) y también en los extremos de las
tiras de madera.

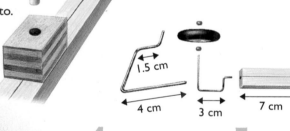

1.5 cm

4 cm

3 cm

7 cm

3 Arma el chasis.
Pega el mástil al
contrachapado.

4 Con las pinzas,
haz el eje de la
rueda delantera.

5 Monta las ruedas y pega el
muñeco.

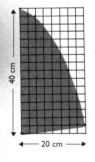

40 cm

20 cm

6 Corta la vela en la
bolsa para basura. Pega
con la cinta adhesiva el
palito redondo y dos
trozos de hilo.

7 Monta la vela anudando el
cordel en lo alto del mástil. Ata un
cordel tenso entre los ejes de las
ruedas y el mástil. ¡A la playa!

Para ganar en el ajedrez, las damas o el zorro y las gallinas, hay que seguir las reglas pero, sobre todo, reflexionar para frustrar la estrategia del adversario.

■ Haz el tablero

  ★ ★

Necesitarás:
- 2 carpetas o fólders de distintos colores,
- una regla grande,
- un cuadrado de cartón rígido (más o menos de 40 cm),
- tijeras,
- un lápiz,
- lápiz adhesivo,
- película plástica adhesiva transparente.

1 En las carpetas o fólders, marca y recorta ocho tiras (cuatro de cada color) de 4 cm de ancho.

2 Entreteje las tiras para hacer un tablero de 8 por 8 casillas.

3 Con ayuda de la regla, cubre el tablero con la película plástica. Pega el tablero al cartón.

■ Las fichas

  ★

Necesitarás:
- tapas de botella con rosca (24 para las damas, 32 para el ajedrez, 5 para el juego del zorro y las gallinas),
- yeso fino,
- un recipiente desechable,
- una cuchara pequeña,
- un pliego de cartulina,
- película plástica adhesiva transparente,
- lápiz adhesivo,
- marcadores o plumines,
- tijeras,
- un vaso.

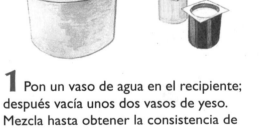

1 Pon un vaso de agua en el recipiente; después vacía unos dos vasos de yeso. Mezcla hasta obtener la consistencia de la crema fresca.

2 Llena con yeso cada tapa al ras. Golpéala sobre la mesa para alisar el yeso. Deja endurecer.

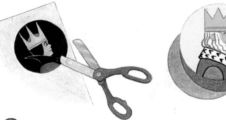

3 Dibuja las piezas en la cartulina y protégelas con el plástico adhesivo. Recórtalas y pégalas a las tapas.

El ajedrez

Para ganar, es necesario "comerse" al rey del contrario. Se llama "jaque mate".

Fíjate bien porque cada pieza se mueve de manera distinta.

Posición de las piezas

Cada reina va sobre su color.

El peón puede avanzar 2 casillas al inicio; después, una sola en línea recta.

La reina avanza horizontal, vertical o diagonalmente.

El rey se mueve en todas direcciones pero sólo avanza una casilla a la vez.

El alfil se mueve en diagonal.

El caballo avanza dos casillas y después una a la izquierda o la derecha.

La torre se desplaza en línea recta o lateral-mente.

Jaque mate en una jugada
Es el turno de las negras. Puedes ganar con un movimiento.

Soluciones págs. 188-191

El zorro y las gallinas

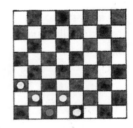

Hace falta un tablero de 8 x 8 casillas, cuatro fichas blancas (las gallinas) y una negra (el zorro). El zorro está en una orilla del tablero y las cuatro gallinas en fila en el otro extremo. Todos ocupan casillas negras.

Los animales se desplazan en diagonal. Sólo el zorro puede retroceder. Las gallinas deben rodear al zorro pero si éste pasa detrás de las gallinas, gana la partida.

El juego de la oca o el parchís son de los juegos de salón más conocidos. Tú puedes inventar otros en los que participen dos o más jugadores.

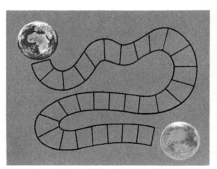

■ **El viaje espacial**

Necesitarás:
- un pliego de cartulina (de unos 40 cm),
- 5 semicírculos de papel de colores (de 10 cm de diámetro),
- 10 etiquetas Post-it MR,
- tijeras,
- un dado,
- cinta adhesiva,
- marcadores o plumines.

1 Haz unos conos con los semicírculos de colores. Pégalos con cinta adhesiva. Los cohetes-ficha están listos para el despegue.

2 En la cartulina, dibuja un recorrido de unas 30 casillas de 5 cm cada una. En los extremos, dibuja la Tierra y un planeta.

Explosión: vuelve al principio.

Descompostura: pierde un turno o espera a que otro jugador te saque de la casilla.

Asteroides: retrocede los puntos del dado.

Vuelve a tirar.

Turbo: multiplica por dos los puntos del dado.

3 En las diez etiquetas, dibuja los íconos de las casillas especiales. Hay dos de cada una.

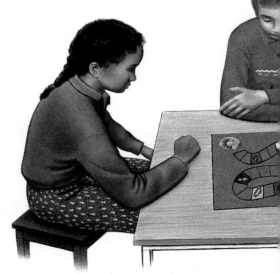

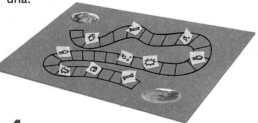

4 Coloca los íconos en las casillas y prueba el juego.

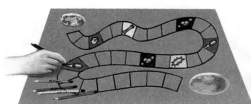

5 Una vez decidida la ubicación de las casillas especiales, dibuja y colorea en el tablero el juego definitivo. ¡A jugar!

Palitos chinos

 ★

Necesitarás:
- unas diez hojas de periódico,
- cinta adhesiva transparente,
- cinta adhesiva de colores: rojo, azul, amarillo y verde,
- un bolígrafo.

1 Enrolla una hoja de periódico doblada en dos y pégala con cinta adhesiva. Haz cuarenta y dos palitos chinos.

2 Corta tiras de cinta adhesiva de colores y pégalas en los palitos para indicar su valor. El juego está listo. Mantén la calma y, sobre todo, no tiembles.

El juego

Al inicio del juego, un jugador toma todos los palitos con ambas manos y los sostiene en un manojo vertical sobre el piso. Al abrir las manos, los palitos caerán. Hay que recoger los palitos uno por uno sin mover los demás; si se mueven, es el turno del siguiente jugador. Puedes ayudarte con un palito blanco. Cuando queda un solo palito, el juego terminó y hay que contar los puntos.

El juego

Al iniciar la partida, todos los jugadores están en la Tierra. Se echa a suerte quién comienza. El jugador avanza con su cohete el número de casillas que indica el dado. Según los obstáculos, será más o menos largo el viaje hasta llegar al planeta, detenerse allí y volver a la Tierra. Gana el cohete más rápido en ir y volver.

Haz:

20	palitos amarillos	(3 puntos)
12	palitos rojos	(5 puntos)
5	palitos azules	(10 puntos)
3	palitos verdes	(15 puntos)
2	palitos blancos	(20 puntos)

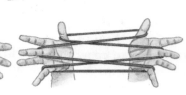

¡Llegó el recreo! Es el momento de inventar juegos: la hora del recreo es la hora de re-crear.

■ Las tabas o matatena

Empieza el jugador que atrape más huesitos o semillas en el dorso de la mano sin dejar caer el huesito rojo.

LA HISTORIA DE LAS TABAS

Este juego recibe su nombre del hueso de la pata del carnero que se usaba para jugar. La base del juego es lanzar al aire un huesito o algo similar y, antes de atraparlo, hacer ciertos movimientos. En algunos países se llama matatena y se juega con una pelota que debe botarse antes de atrapar los huesitos.

De uno	De dos	Todos
Los huesitos se toman de uno en uno...	... de 2 en 2, de 3 en 3...	... y al final 4 juntos.

El puente	El tenedor	El pozo	La voltereta

Haz pasar los huesitos uno a uno bajo el puente.	Cada huesito sostenido entre los dedos debe caer en la palma.	Los huesitos entran en el pozo.	El último huesito debe recibirse sobre el dorso de la mano.

■ La pata de gallo

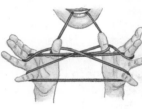

1 Pasa la hebra entre el pulgar y el meñique de cada mano.

2 Con los dedos medios, toma la lazada de las palmas.

3 Con los pulgares, toma el hilo de encima. Después, sujeta con la boca la hebra superior.

Bolitas o canicas

EL JUEGO DE BOLITAS O CANICAS

Se dice que el emperador romano Augusto hacía venir esclavos jóvenes para jugar algo semejante a nuestras bolitas o canicas. Hay muchas reglas diferentes. Tú puedes crear las tuyas.

El agujero

Un capirotazo o golpe a la bolita; si ésta cae en el agujero, ganas todas las bolitas o canicas.

Rebote contra el muro

La bolita debe rebotar contra el muro; si toca alguna otra, las ganas todas.

Círculos

Cada jugador coloca dos bolitas o canicas en el círculo pequeño. Después, cada uno lanza de un capirotazo su bolita puesta en el círculo grande. Las bolitas que saques del círculo pequeño son tuyas.

Bolitas en fila

Lanza una bolita. Si toca otra, ganas ésa y las que están antes.

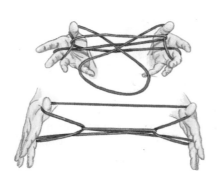

4 Con la boca, pasa el hilo por encima de los pulgares. Suelta los meñiques. Quedará un tazón sobre un plato.

5 Muerde el hilo del tazón y zafa los pulgares. Es la "pata de gallo".

DIBUJOS CON HILOS

Desde hace mucho tiempo y en todos los países, la gente forma figuras pasando un hilo entre los dedos. Sólo basta con inventar más figuras.

Solo o con amigos, bastan unos minutos para descubrir el *awalé*, que ya jugaban los egipcios, los solitarios o la perinola, inventados en la Edad Media, o la rayuela, conocida en muchos países.

■ Juegos de solitario

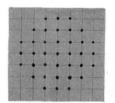

Necesitarás:
- una bandeja o charola de poliestireno,
- un cuadro de papel cuadriculado (12 x 12 cm),
- una caja de chinchetas o chinches (o alfileres de cabeza),
- lápiz adhesivo,
- un marcador o plumín.

1 En el papel, marca los 37 agujeros con el marcador.

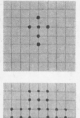

2 Pega el cuadrado en el reverso de la bandeja.

Las reglas

Para avanzar, una pieza salta por encima de la vecina. La pieza saltada se quita. Los saltos se hacen siguiendo las líneas, nunca en diagonal.

La cruz

Hay que tomar 5 piezas, dejando la sexta en el centro de la cuadrícula.

El clásico

Al final del juego, no queda más que una pieza en el centro.

La cruz en el círculo

Al inicio, hay una pieza en cada agujero salvo en el centro. Al terminar, forman esta figura.

■ La perinola de cuatro colores

Necesitarás:
- fichas,
- un dado de madera perforado, con cuatro caras de colores.

Las reglas

Al inicio, cada jugador (2, 3 ó 4) tiene 10 fichas y pone dos. Hace girar la perinola por turnos. Si se detiene en el amarillo, el jugador no gana nada; en el verde, pone una ficha; en el rojo, gana la mitad del montón; en el azul, se lo lleva todo y el juego se repite.

La rayuela

Necesitarás:
- una moneda o tejo para cada jugador.

Las reglas

Se traza una línea en el suelo a cierta distancia. Cada jugador lanza un tejo o moneda a la raya. Gana el que toca la raya o se acerca más a ella pero sin que su tejo o moneda la rebase.

El *awalé*

Necesitarás:
- un cartón de 12 huevos pintado,
- 48 bolitas o canicas (o bien, porotos o frijoles).

1 Al empezar, cada casilla tiene cuatro bolitas.

2 Por turnos, cada jugador toma todas las bolitas de una casilla de su lado y las pone una por una en las casillas vecinas, en sentido inverso a las manecillas del reloj.

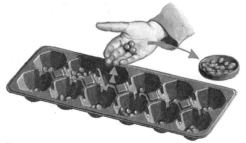

3 Si la última cae en una casilla que ya tiene una o dos, se vacía la casilla.

4 El juego sigue hasta que a un jugador no le quede ninguna bolita en su lado. Su adversario habrá ganado.

¡Toma!

¿Quién podrá reconocer, sin equivocarse, el crujido del pan tostado, el roce del celofán, el sabor del chocolate o el aroma del dentífrico?

■ En la punta de la lengua

Necesitarás:
- cucharitas,
- moldes pequeños (12 a 15),
- diversos alimentos,
- un pañuelo.

1 Pon un alimento en cada molde y acomódalos sobre la mesa en dos o tres hileras.

2 Venda los ojos de tu compañero con el pañuelo. Dale a probar los alimentos con la punta de la cuchara. ¿Sabrá reconocerlos? ¿Podrá nombrarlos en el orden en que los probó?

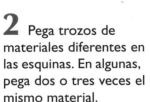

■ Rompecabezas táctil

  ★

Necesitarás:
- cartón,
- diversos materiales (papel celofán, periódico, papel crepé, cartón corrugado, papel higiénico, etc.),
- pegamento,
- tijeras,
- compás,
- una bolsa de plástico.

1 En el cartón, dibuja y recorta un triángulo equilátero de 5 cm de lado. Marca el contorno para hacer una veintena de piezas.

2 Pega trozos de materiales diferentes en las esquinas. En algunas, pega dos o tres veces el mismo material.

Olfato de sabueso

Puedes jugar a descubrir muchos productos por el olor.

De oreja a oreja

¿Quién reconocerá primero un silbato, el reloj despertador u otros objetos comunes? Tendrán que identificar lo que haces: servir agua en un vaso, desgarrar o arrugar papel, morder una galleta, engrapar papel o pasar las hojas. Los sonidos o ruidos más comunes resultan muy distintos cuando los escuchamos sin ver.

Mirada atenta

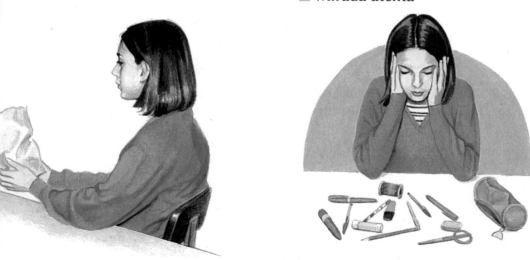

3 Coloca las piezas en la bolsa. Por turnos, cada jugador busca una pieza que se asocie con las anteriores, por supuesto, sólo mediante el tacto.

Vacía tu estuche escolar delante de ti y mira atentamente cada uno de los objetos. Guarda de nuevo todo salvo... un lápiz. ¿Podrás mencionar todos los objetos sin olvidar ninguno?

PREGUNTAS PARA CAMPEONES

Se plantea la pregunta y los competidores preparan su respuesta. Gracias a las luces del árbitro, sólo el más rápido tendrá derecho de responder.

■ Un árbitro imparcial

Necesitarás:
- 2 botes de película fotográfica,
- 2 interruptores de circuito,
- 9 elementos de una regleta de conexión,
- 2 diodos electroluminiscentes rojos,
- 2 resistencias de 120 ohmios
  (marrón o café, rojo, marrón o café),
- 2 resistencias de 11 kiloohmios
  (marrón o café, marrón o café, anaranjado),
- cables eléctricos delgados con los extremos descubiertos (4 tramos de 90 cm y 3 de 20 cm),
- una broca (de 6 mm de diámetro),
- 2 transistores BD 135,
- 2 clips,
- una pila de 4.5 V,
- un destornillador pequeño.

EN EL BLANCO

En los combates de esgrima, hay que tocar al adversario. El árbitro del encuentro se apoya en un dispositivo electrónico que señala al competidor tocado.

Cada esgrimista está conectado a una lámpara por un cable.

1 Con ayuda de un adulto, perfora el fondo y la tapa de los dos botes de película con la broca.

2 Mete dos cables en cada bote. Conecta los extremos a un interruptor.

3 Fija los interruptores a las tapas y cierra los botes. Los "botones" están listos.

4 Haz el montaje y aprieta los tornillos.

■ Auténticas preguntas

Redacta fichas sobre diversos temas para examinar a tus amigos.

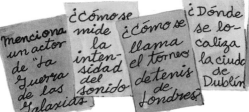 

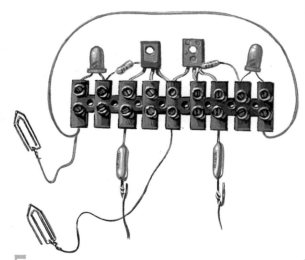

Conecta la pila.
¡El árbitro espera las respuestas!

¡Cuidado!

Los transistores y los diodos electroluminiscentes tienen marcas que debes respetar. El lado plano del diodo corresponde al polo negativo de la pila.

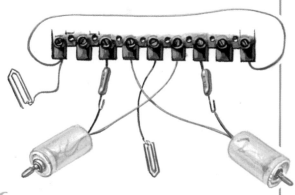

5 Conecta los tres cables y las dos resistencias y después fija los dos clips.

6 Conecta los cuatro cables de los botones a la regleta de conexión.

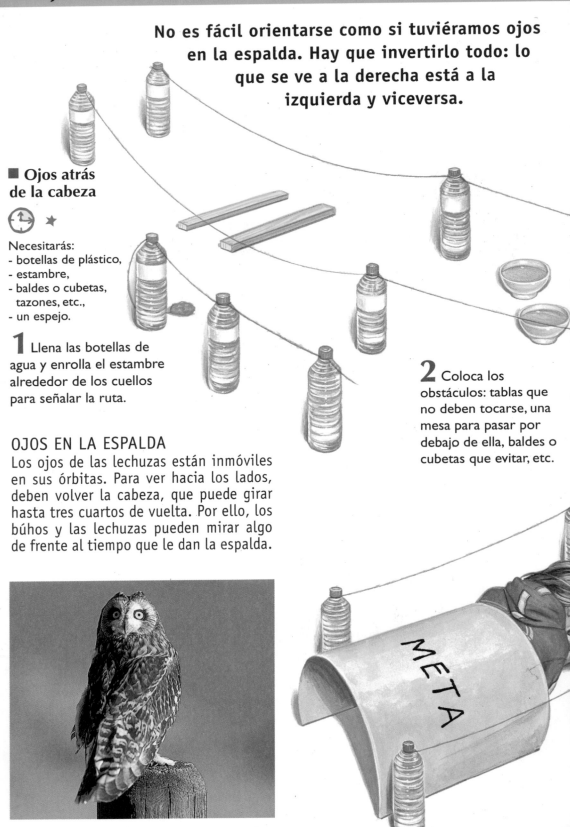

No es fácil orientarse como si tuviéramos ojos en la espalda. Hay que invertirlo todo: lo que se ve a la derecha está a la izquierda y viceversa.

■ **Ojos atrás de la cabeza**

Necesitarás:
- botellas de plástico,
- estambre,
- baldes o cubetas, tazones, etc.,
- un espejo.

1 Llena las botellas de agua y enrolla el estambre alrededor de los cuellos para señalar la ruta.

OJOS EN LA ESPALDA

Los ojos de las lechuzas están inmóviles en sus órbitas. Para ver hacia los lados, deben volver la cabeza, que puede girar hasta tres cuartos de vuelta. Por ello, los búhos y las lechuzas pueden mirar algo de frente al tiempo que le dan la espalda.

2 Coloca los obstáculos: tablas que no deben tocarse, una mesa para pasar por debajo de ella, baldes o cubetas que evitar, etc.

META

Un camino sinuoso

Necesitarás:
- una pila de 4.5 V,
- una bombilla
  o foco,
- cable eléctrico,
- un clavo grande,
- 3 clips,
- papel de aluminio,
- un trozo de cartón,
- una caja de cartón,
- un portalámparas,
- una hoja de papel,
- un espejo.

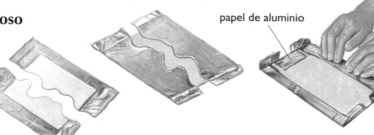

papel de aluminio

1 Pega el aluminio a la hoja y córtala en dos. Pega las dos partes al cartón, dejando un espacio de un centímetro.

2 Voltea el cartón. Dobla el aluminio alrededor. Agrega un trozo pequeño entre las dos partes.

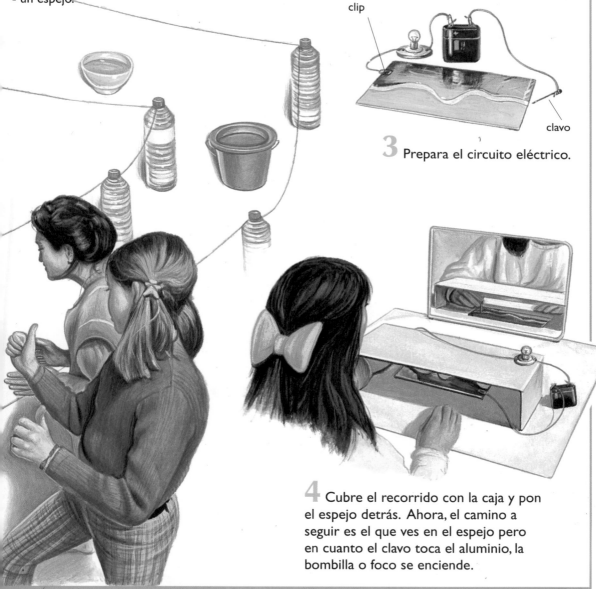

clip

clavo

3 Prepara el circuito eléctrico.

4 Cubre el recorrido con la caja y pon el espejo detrás. Ahora, el camino a seguir es el que ves en el espejo pero en cuanto el clavo toca el aluminio, la bombilla o foco se enciende.

PRUEBAS DE DESTREZA

Para superar estas pruebas de destreza, tendrás que cerrar un ojo, no temblar, conservar la calma, contener el aliento... Pero también necesitarás un poco de práctica y mucha paciencia.

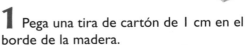

■ Un boliche o balero

¿Qué movimiento hay que hacer para poner la tapa sobre la botella?

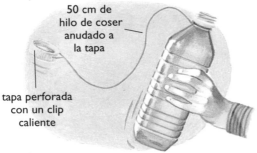

50 cm de hilo de coser anudado a la tapa

tapa perforada con un clip caliente

■ Tiro con agua

¿La reserva de la pistola de agua bastará para derribar las tres pelotas de ping pong o tenis de mesa?

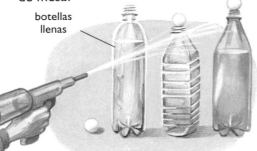

botellas llenas

■ Atrapa la bolita

¿En cuántos intentos logras lanzar la bolita o canica de una tapa a la otra?

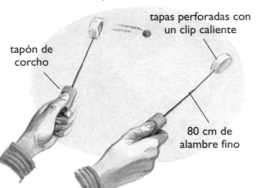

tapas perforadas con un clip caliente

tapón de corcho

80 cm de alambre fino

■ Pimpampum

Necesitarás:
- una tabla de madera,
- cartón,
- cajas vacías,
- cinta adhesiva ancha,
- papel de colores,
- una pistola de dardos,
  un arco o una pelota.

1 Pega una tira de cartón de 1 cm en el borde de la madera.

2 Cierra las cajas con cinta adhesiva y decóralas con papel de colores. Escríbeles un valor: cuanto más pequeña la caja, mayor su valor.

■ Pesca con aro

¿Cuánto tardas en poner el aro alrededor del cuello de la botella?

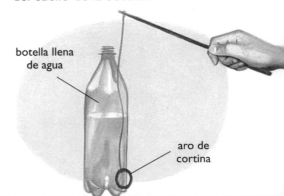

botella llena de agua

aro de cortina

148

Prueba tu pulso

Necesitarás:
- una cubierta de poliestireno o cartón,
- un clavo,
- cable eléctrico,
- una bombilla o foco con portalámpara,
- 4 ganchos metálicos,
- una pila de 4.5 V,
- cinta adhesiva.

1 Atornilla los ganchos y fija la bombilla o foco.

2 Prepara el circuito eléctrico en el reverso de la cubierta

3 ¡No tiembles al pasar por los ganchos!

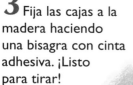

3 Fija las cajas a la madera haciendo una bisagra con cinta adhesiva. ¡Listo para tirar!

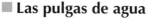

Las pulgas de agua
¿Cuántas "pulgas" logras meter en el frasco pequeño?

frasco de vidrio lleno de agua

frasco pequeño de vidrio

cuentas

El blanco del faquir
¿Quién logrará más puntos en cinco tiros?

plancha de madera con clavos

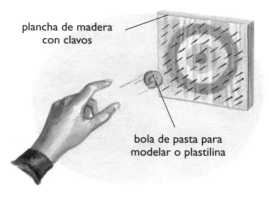

bola de pasta para modelar o plastilina

Si oprimes con el dedo, el resorte se estira e impulsa a tus muñecos hacia la victoria.

■ **Una carrera de ranas**

Necesitarás:
- un rectángulo de papel.

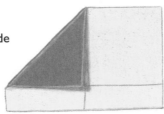

1 Marca la hoja en dos. Dobla las esquinas hacia el centro.

2 Recorta el rectángulo.

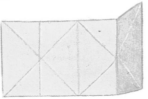

3 Abre y dobla las otras dos esquinas.

4 Abre y voltea. Dobla los costados hacia el centro.

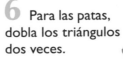

5 Forma un cuadrado.

6 Para las patas, dobla los triángulos dos veces.

¡Salta, te digo!

¡Vamos! ¡Salta!

¡NO!

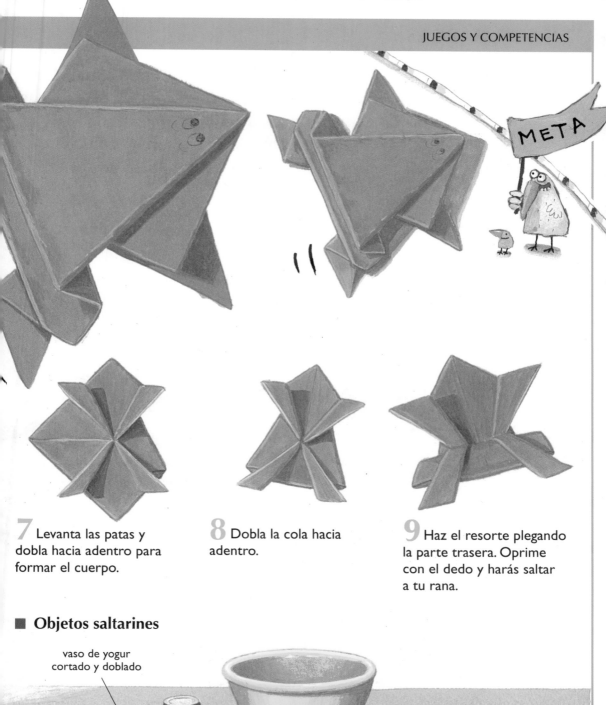

7 Levanta las patas y dobla hacia adentro para formar el cuerpo.

8 Dobla la cola hacia adentro.

9 Haz el resorte plegando la parte trasera. Oprime con el dedo y harás saltar a tu rana.

■ Objetos saltarines

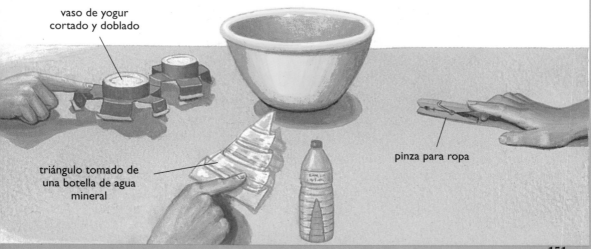

vaso de yogur cortado y doblado

triángulo tomado de una botella de agua mineral

pinza para ropa

¡Listos! ¡Fuera! Al oír la señal, los competidores, con atuendos peculiares o accesorios estorbosos, se lanzan sobre rutas en ocasiones llenas de obstáculos. Competencias muy divertidas, donde a menudo el que se precipita pierde.

La carrera de los camareros

Los competidores recorren un camino lleno de obstáculos con tres copas en una bandeja o charola. Si se cae alguna, el jugador debe regresar al principio.

Carreras con aletas

Los corredores, calzados con aletas, avanzan a saltitos.

Carreras de sacos

Los saltos grandes permiten ir más rápido. Pero, ¡cuidado con las caídas!

Relevos de letras

Cada equipo debe escribir una palabra, letra por letra, lo más rápido posible. El primer jugador corre al papel o al pizarrón, busca el lápiz o la tiza o gis en una caja llena de papeles arrugados y regresa para entregar el relevo.

Carrera de raquetas

Hay que lanzar y atrapar una pelota con una raqueta sin dejarla caer. Si la pelota cae, el jugador retrocede tres pasos.

Carrera con aros

Hay que lanzar el aro al piso, saltar dentro de él y sacárselo por arriba de la cabeza antes de volver a lanzarlo, hasta llegar a la meta.

Sugerencia

Si no tienes aros, puedes usar neumáticos de bicicleta.

La carrera del agua

Hay que llenar una botella transportando el agua en un cucharón.

Para ganar habrá que emplear diversas estrategias, porque en estas pruebas más vale maña que fuerza.

Sugerencia
Para hacer el lazo, usa una cuerda de 2 a 3 m y anúdala como se muestra.

El lazo y las sillas
Cada jugador debe lazar su silla y acercarla hasta él.

La pelota equilibrista
Hay que deslizar una pelota sobre dos cordeles, ponerla encima de un recipiente y dejarla caer dentro.

Triple tracción

Gana el primero que logre recoger un objeto del suelo sin soltar el anillo de cuerda.

Una carrera de zancos

Necesitarás:
- 2 latas de conservas (de 800 g o 1 kg),
- un destornillador,
- 3 a 4 m de cuerda delgada.

El juego
Hay que hacer un recorrido sin pisar el suelo con los pies.

1 Pide a un adulto que perfore dos agujeros a los lados de cada lata.

2 Mete la cuerda en cada agujero y anúdala dentro. Calcula el largo según tu tamaño.

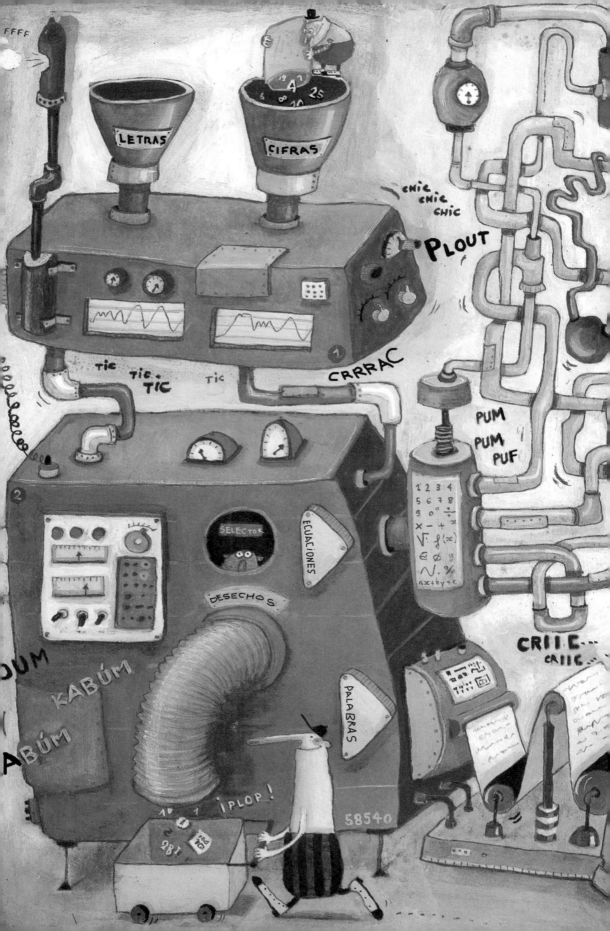

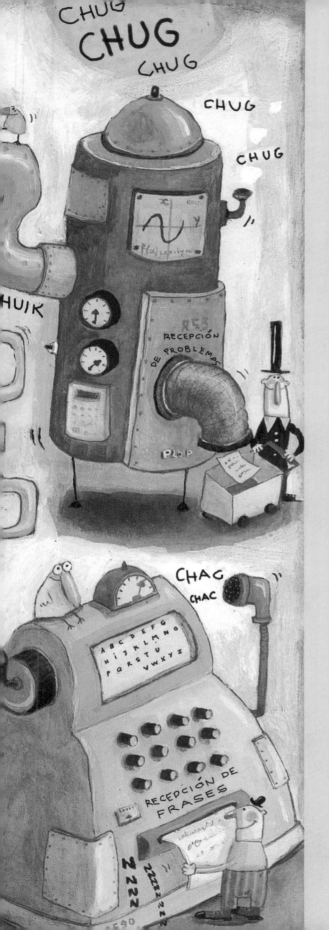

JUEGOS DE PALABRAS Y DE HABILIDAD

NOTA IMPORTANTE:
Todos los experimentos debes realizarlos bajo la supervisión de un adulto.

Estos caracteres negros que llenan los libros son muy serios. Con colores o en dibujos, las letras pueden volverse muy divertidas.

■ Letras decorativas

Necesitarás:
- marcadores o plumines,
- un lápiz,
- etiquetas adhesivas (o rectángulos de papel).

1 Escribe una palabra en el papel. Convierte una letra en un dibujo.

2 Copia la palabra ilustrada en el centro de la etiqueta.

■ Letras representativas

Cuando una o varias letras de una palabra muestran un objeto, una fruta, etc., es más divertido identificar los frascos, las cajas o los cajones.

capitular de la Edad Media

CAPITULARES

En la Edad Media, los monjes decoraban ricamente la primera letra de las páginas de sus manuscritos.

CALIGRAMAS

Los caligramas son textos en los que las palabras forman un objeto.

■ Nombres con cara

Celia

Carlos

Sofía

■ Portadas

Necesitarás:
- tijeras,
- papeles diferentes,
- carpetas o fólders.

2 Escribe la palabra pegando las letras a la carpeta o fólder. ¡Ya están clasificados!

1 Dibuja y recorta las letras en el papel que vaya mejor con la palabra que deseas escribir.

PALABRAS OCULTAS

Inventar charadas, anagramas o jeroglíficos es crear enigmas, como jugar al escondite con las palabras.

■ Palabras ocultas

Objetivo
En una charada, hay que adivinar una palabra o frase a partir de sílabas u otras palabras.

agua/cero

La primera cae del cielo
cuando es la temporada,
lo segundo por sí solo
no vale nada.

1 Elige una palabra y sepárala en partes que a su vez sean otras palabras.

2 Inventa una definición para cada parte y para la palabra completa.

■ Charada deletreada

Cada definición da una letra de la palabra por descubrir.

La primera silba sola,
la segunda el año empieza,
la tercera está en limpieza,
y juntas van en la mesa.

■ Charada de anagramas

Cada definición permite adivinar una palabra.

Ejemplo:
Primero soy un animal marino,
después, un arma para lanzar flechas
y parte de la corteza de la Tierra.

Respuesta: orca, arco, roca.

■ Dilo con mímica

Se elige el título de una película o canción (sin nombres propios). Un jugador intenta explicar a sus compañeros de equipo cada palabra o todas juntas mediante gestos o ademanes. Gana el equipo que adivine más títulos.

■ Charada de varias sílabas

Aunque es más difícil, puedes hacer charadas con palabras de más de dos sílabas.

Mi primera y mi segunda son una cabeza sin cabello
Mi tercera es una corriente de agua
Y mi todo es un largo sufrimiento.

Anagrama

Necesitarás:
- letras de un juego (*Scrabble* o similar).

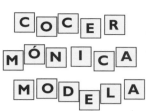

1 Escribe una palabra.

CERCO CAMINO DÁMELO

2 Busca otra palabra con las mismas letras.

Objetivo
Un anagrama es una palabra obtenida con las letras de otra, como ROMA y MORA o LOS y SOL.

Jeroglífico

Objetivo
Detrás de las letras, las cifras o los dibujos, los jeroglíficos ocultan palabras o frases.

Una frase entre letras:

Un hombre decide cambiar los muebles del baño de su casa. Tiene que ir a otra ciudad a comprarlos porque allá son más baratos. Al cabo de un mes, recibe los muebles pero falta uno. Como había gastado mucho dinero, sólo pudo mandar un brevísimo telegrama reclamando el mueble faltante. ¿Qué dice el telegrama?

¿ I ?

Una historia de osos

1 Inventa un relato en el que utilices palabras con la terminación "oso" y sustitúyela por el dibujo de este animal.

El 🐻 es un animal muy **cariñ** 🐻 y **gol** 🐻. Casi siempre está en **rep** 🐻. Sin embargo con él hay que ser **cuidad** 🐻, porque cuando se enoja, se pone **furi** 🐻 y no es nada **cariñ** 🐻

¡Te quedará un relato muy **chist** 🐻!

Soluciones págs. 188-191

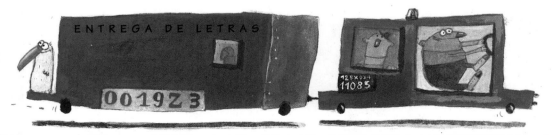

ENTREGA DE LETRAS

001923

125X034 11085

LAS PALABRAS SE DIVIERTEN

Tito Tito
CAPOTito
SUBE AL CIELO
Y PEGA UN
GRITO

Esto
ES
GRAVE

Si confundes la gimnasia con la magnesia o dices "una costra porosa", sin duda te divertirás con las palabras. Puedes inventar diferentes formas de hablar, hacer mezclas o bromas y ya verás cómo te diviertes.

■ Juegos de palabras

Invierte los términos de una frase para tener un sentido diferente al de la frase original.

Ejemplo:
Vivir para comer, comer para vivir.

Juega con las palabras de estas frases:
1. La casa del perro.
2. No son todos los que están.
3. Las aguas del Río Bravo.
4. Ven, Beto.
5. No, Elena.

Encuentra las palabras transformadas:

Irma por la ventana

Omar compró un

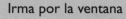

■ Neologismos divertidos

Para crear un neologismo, una palabra nueva, piensa una palabra y trata de unirla a otra. Ahora busca una definición para tu neologismo.

Ligartija
(liga-lagartija): pequeño reptil de cuerpo elástico.

Sabieso
(sabio-sabueso): perro poseedor de una vasta cultura.

Demoño
(demonio-moño) diablo que viste con elegancia.

A partir de estas definiciones, encuentra los neologismos correspondientes:

1. Paquidermo estirable.
2. Pájaro sin rumbo.
3. Arácnido inspirador.
4. Anfibio coqueto.

Cambios de ortografía y de puntuación

Fíjate cómo se transforman estas frases con un pequeño cambio ortográfico y de puntuación.

1. Quedémonos en la puerta
- ¡Qué de monos en la puerta!

2. ¿Cómo estás, Chiquito? - ¡Cómo estás chiquito!

Trabalenguas

Tres tristes tigres
trigo tragaban
en un trigal.

3. ¿Llegó Azucena?
- ¿Llegó a su cena?

Cabras broncas
brincan bancas.
Bancas brincan
broncas cabras.

Palíndromos

Un palíndromo (o capicúa) es un grupo de palabras que se leen igual de izquierda a derecha que de derecha a izquierda.

Anita lava la tina.
No deseo yo ese don.
O rey o joyero.

Soluciones págs. 188-191

DE LAS LETRAS A LAS PALABRAS

Acróstico. ¡Vaya nombre curioso para jugar con las letras! Tú puedes darle un sentido adicional a tus mensajes o poemas.

■ Retrato

Escribe de arriba abajo las letras de tu nombre. Para cada una, busca en el diccionario un adjetivo que te describa. ¿Te reconoces?

E ntusiasta
M usical
I dealista
L eal
I nteligente
A migable

■ Un telegrama acróstico

Es fácil adivinar la firma. Encuéntrala en cada telegrama.

Fabuloso y Exótico Lugar
Incluye Playas Excepcionales

■ Palabras encadenadas

Hay que encadenar el mayor número posible de palabras. La última sílaba de una palabra es el principio de la siguiente.

Mariposa - sacudida - dama
mantel - teléfono - nota
tablero - roto - tonel.

Llevaré un Invitado Sensacional
Recorrido Agradable, Más Observaciones Novedos
Amigas Íntimas Desde Ahora.

■ Acróstico doble

La palabra oculta se forma en los dos extremos: la primera letra de cada verso es también la última.

Amiga, ven y hazme compañíA
Mi sombra silenciosa, dulce MyriaM
¡Oh! quién pudiera a ti vivir atadO
Recordando momentos del ayeR

Bonita piscina
Es lo que necesi
¿Tú quieres nad
O sólo asolear

BETO Y LUI

164

ACRÓSTICOS RIMADOS

Desde la antigüedad, los poetas han practicado este juego literario. En el siglo XX, el reconocido escritor mexicano Alfonso Reyes escribió versos con acrósticos. He aquí una muestra:

Aunque muy de "tierras lejas",
Margarita, quiero aquí
Aconsejarme de ti
Revelándote mis quejas.
Ganarás, si así me dejas
Aprovechar la distancia,
Rimas que, en su consonancia,
Imiten mi voluntad,
Terca en la dificultad,
Atrevida en la constancia.

Una niña del Perú
Locos afanes traía,
Lo que la niña pedía
Ojalá lo entiendas tú:
Acabar un verso en U;
Enmendar, cerrado un ojo,
Los pies de un poeta cojo;
Imponerle, en fin, con tretas,
Acrósticos por muletas.
¿Sabes si logró su antojo?

Alfonso Reyes

La verdad, sólo Una vez he nadado. Imagínate, Sólo una vez.

Par de Bobos

DE VACACIONES

Letras con sentido

¿Cuál es la particularidad de la palabra LÁSER?

¿Por qué PAKISTÁN es un país con un nombre extraordinario?

¿Qué significa la palabra OVNI?

Soluciones págs. 188-191

MENSAJES SECRETOS

Para que ninguna mirada indiscreta pueda comprender tus mensajes escritos, he aquí algunos códigos fáciles de usar y muy difíciles de descifrar para quienes no tengan la clave.

■ Un decodificador

Necesitarás:
- 2 platos de cartón (de 20 cm),
- un marcador o plumín,
- un broche de dos patas,
- tijeras.

1 Con la punta de las tijeras, perfora el centro de los platos. Recorta uno de ellos a 1 cm del borde.

2 En el más pequeño, escribe las letras de la A a la Z dejando dos espacios entre cada una. En el otro, escribe las letras del alfabeto en orden inverso (Z, Y, X...) intercalando dos espacios.

3 Une los platos con el broche de dos patas. El mensaje secreto aparecerá en las letras del plato pequeño, según el código elegido, como A (del plato pequeño) = F (del plato grande).

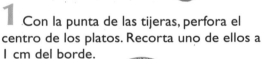

■ Lenguajes particulares

Tú puedes inventar con tus amigos un lenguaje particular, como el lenguaje en "f".

Por ejemplo:
"Vamos a jugar pelota"
se diría así: "Va-*fa*-mo-*fos* a-*fa* ju-*fu*-ga-*far* pe-*fe*-lo-*fo*-ta-*fa*"

YRH F UFN CRN
BS BU QFOPLB
Descifrar este mensaje
con el código:
A = F
Soluciones págs. 188-191

■ Un mensaje cifrado

01 12 12 09/ 05 20 21 01 19 05 13 16 20/
21 16 04 16 20

Esta serie de números no es una fórmula matemática sino un mensaje. Se sustituyen las letras del abecedario por su número:
a = 01, b = 02, c = 03, d = 04... z = 27.

■

A	B	C
D	E	F
G	H	I

J	K	L
M	N	O
P	Q	R

S	T	U
V	W	X
X	Z	

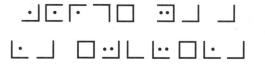

A = ⌐   J = •   S = ••

E = □   P = •⌐   X = □••

Si quieres escribir *Jorge va a la escuela*, quedará así:

⌐•| •| Г •| ⌐| □   ••| ⌐| ⌐

|•| ⌐| □| ••⌐| L| ••| □| •| ⌐

Sugerencia
Para que tu mensaje sea fácil de descifrar, limita el texto al mínimo. No escribas "Recuerda que mañana vamos a la fiesta de nuestra amiga Eva", sino "Mañana juntos fiesta Eva".

■ El dibujo es la clave
Utiliza el diagrama para descifrar este código. Cada letra está codificada por los números que delinean su silueta.

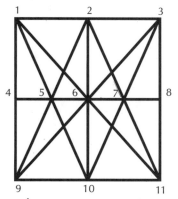

"UN AVIÓN" se escribe así:
1, 9, 11, 3 - 9, 1, 11, 3 - 9, 2, 11, 7, 5 - 1, 10,
3 - 2, 10 - 1, 9, 11, 3, 1 - 9, 1, 11, 3.

JUEGOS DE PACIENCIA

Con perseverancia y un poco de estrategia, el orden de los colores o de los movimientos resultará casi evidente.

■ Cubos de colores

Necesitarás:
- Cartulina cuadriculada,
- un lápiz,
- una regla,
- marcadores o plumines de colores,
- lápiz adhesivo,
- tijeras.

> **Objetivo**
> Formar un paralelepípedo en el que cada cara presente tres colores idénticos.

1 Dibuja y recorta el contorno de los tres cubos. Colorea cada cara como lo muestra el dibujo.

2 Arma los tres cubos pegando las pestañas o rebordes. ¡El juego está listo!

■ Rompecabezas de colores

Necesitarás:
- marcadores o plumines,
- un cuadrado de cartulina (de 15 x 15 cm),
- tijeras,
- una regla graduada.

> **Objetivo**
> Armar el cuadrado de modo que los puntos de color siempre formen pares.

1 Dibuja y recorta nueve cuadrados de 5 cm de lado.

2 Dibuja en cada lado un punto de color como se muestra. Revuelve las piezas. ¡Está listo!

■ La estrella

> **Objetivo**
> Formar una cruz hueca con 12 elementos idénticos.

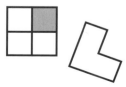

pieza obtenida a partir de un cuadrado recortado

■ El cuadrado

> **Objetivo**
> Formar un cuadrado con 4 elementos idénticos.

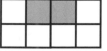

pieza obtenida a partir de un rectángulo recortado

■ Rompecabezas con 4 Z y 4 L

> **Objetivo**
> Formar un cuadrado con cuatro piezas en forma de L y cuatro piezas en forma de Z.

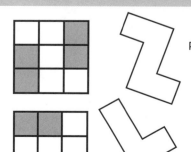

pieza en Z obtenida a partir de un cuadrado recortado

pieza en L obtenida a partir de un rectángulo recortado

Un problema de vías

El trenecito llegó a la estación. ¿Qué maniobras deberá hacer para salir con la locomotora por delante? Advertencia: la plataforma giratoria sólo soporta al vagón.

Salto del burro

Se colocan cuatro bolitas o canicas en una lámina de pasta para modelar o plastilina. Moviendo las bolitas una casilla a la vez, hay que ocupar el lugar de las del contrario.

El precio justo

Una botella de jugo de frutas y una botella de agua cuestan entre las dos 21 pesos. La botella de jugo cuesta 20 pesos más que la botella de agua. ¿Cuánto cuesta la botella de agua?

Los cuadrados misteriosos

¿Cómo cortar un cuadrado de papel para obtener cinco cuadrados idénticos?

Una elección difícil

Por turnos, cada jugador puede retirar 1, 2 ó 3 lápices. Pierde el que retire el último.

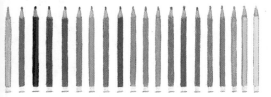

Un comerciante cauto

Un cliente paga 15 pesos por un ramo de rosas atado con un listón. Por 30 pesos, pide un ramo de las mismas rosas atado con un listón del doble de largo pero el florista se rehúsa. ¿Por qué?

Recorte simétrico

¿Cómo recortar una sarta cerrada? Niños y niñas se alternan.

Geometría sutil

Un patio cuadrado tiene cuatro árboles en las esquinas. ¿Cómo duplicar su superficie sin mover los árboles y de modo que siga siendo cuadrado?

Soluciones págs. 188-191

¡Ay! ¡Ay! ¡Ayuda! ¡Compasión! ¿Cómo liberar o mover estos objetos prisioneros? ¿Dónde está el truco? Ah, ya lo descubrí. ¡Era tan sencillo!

Los botones atrapados

Necesitarás:
- 2 botones (con 2 agujeros grandes),
- 50 cm de hilo (o hilaza).

1 Anuda firmemente el hilo y recorta los extremos al ras del nudo.

primer botón montado

2 Mete una lazada por un agujero.

3 Mete el hilo en la lazada y después por el segundo agujero. Aprieta bien.

4 Mete la lazada por los agujeros del segundo botón.

5 Vuelve a ensartarla por el primer agujero. Mete el primer botón en la lazada.

6 Saca la lazada del agujero.

7 Aprieta para obtener la misma disposición.

Objetivo
Liberar los dos botones.

■ El cuadrado bromista

  ★ ★

Necesitarás:
- una caja cuadrada,
- 2 cuadrados de poliestireno del tamaño del fondo de la caja (empaque de carne),
- un cuadrado de cartón, 5 mm más pequeño,
- tijeras.

 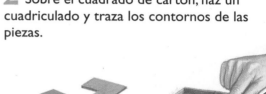

1 Pega los dos cuadrados grandes al fondo de la caja.

2 Sobre el cuadrado de cartón, haz un cuadriculado y traza los contornos de las piezas.

Objetivo
Reunir arriba a la derecha las piezas color anaranjado.

3 Recorta las piezas y colorea las dos con forma de L.

■ La pirámide partida

 ★

Necesitarás:
- cartulina,
- un compás,
- tijeras,
- pega-mento,
- una regla.

Objetivo
Formar una pirámide con las dos piezas.

1 En la cartulina, copia una vez el dibujo.

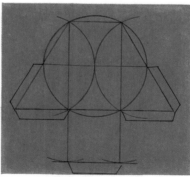 

2 Marca las cinco pestañas o rebordes y recorta la figura. Dobla y pega el cuerpo geométrico. Haz otra figura con el mismo modelo. ¡Listo! ¡A quebrarse la cabeza!

Soluciones págs. 188-191

¡SON MATEMÁTICAS!

Para sorprender a tus amigos, adivina un número o calcula de un solo vistazo. Pensarán que tienes mente de calculadora o una gran habilidad para las matemáticas.

■ **¿Par o impar?**
Necesitarás:
- bolitas o canicas.

Objetivo
Adivinar en qué mano se encuentra un número par de bolitas o canicas.

1 Pide a un amigo que oculte cierto número de bolitas en cada mano: un número impar en una mano y un número par en la otra.

2 Pídele que multiplique por 2 el número de bolitas de su mano derecha y por 3 el de la mano izquierda. Después, indícale que sume los números y te diga el resultado.

3 Tras unos segundos de concentración, dale tu respuesta: si el resultado de la suma es un número par, el número par de bolitas o canicas está en la mano izquierda; si es impar, está en la derecha. ¡Vaya sorpresa!

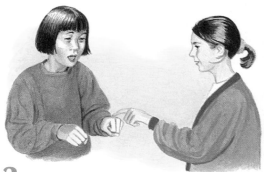

■ **Operaciones curiosas**

Desde hace mucho tiempo, los matemáticos juegan con las cifras. ¡Han descubierto operaciones notables!

$1 \times 1 = 1$
$11 \times 11 = 121$
$111 \times 111 = 12321$
$1111 \times 1111 = 1234321$
$11111 \times 11111 = 123454321$
$111111 \times 111111 = 12345654321$
$1111111 \times 1111111 = 1234567654321$
$11111111 \times 11111111 = 123456787654321$
$111111111 \times 111111111 = 12345678987654321$

$0 \times 9 + 1 = 1$
$1 \times 9 + 2 = 11$
$12 \times 9 + 3 = 111$
$123 \times 9 + 4 = 1111$
$1234 \times 9 + 5 = 11111$
$12345 \times 9 + 6 = 111111$
$123456 \times 9 + 7 = 1111111$
$1234567 \times 9 + 8 = 11111111$
$12345678 \times 9 + 9 = 111111111$
$123456789 \times 9 + 10 = 1111111111$

■ Cuadrados mágicos

Objetivo

Llenar los cuadrados con los números que se indican, de modo que todas las sumas en línea, en columna o en diagonal sean iguales.

x	x	x
x	5	x
x	x	x

En este cuadrado, todas las sumas dan 15. Completa el cuadrado con los números 1 2 3 4 5 6 7 8 9.
Es fácil si recuerdas que
2 + 8 = 4 + 6 = 3 + 7 = 10.

x	x	x
x	8	x
x	x	x

En este cuadrado, todas las sumas dan 24. Coloca los números del 4 al 12.

■ ¿Cómo se escribe?

Cómo escribirías:
23 sólo con números 2
45 sólo con números 4
1 000 sólo con números 9
100 sólo con números 1
100 usando siete veces el número 4
100 usando cinco veces el número 5
100 usando 1 2 3 4 5 6 7 8 y 9

■ Con una calculadora

Agrega los signos (+, −, x, ÷) y los paréntesis que convengan para obtener las equivalencias. Inventa nuevas operaciones con otras cifras.

$$6\ 6\ 6 = 5$$
$$6\ 6\ 6 = 6$$
$$6\ 6\ 6 = 11$$
$$6\ 6\ 6\ 6 = 1296$$
$$6\ 6\ 6\ 6\ 6 = 215$$

■ El número pensado

Necesitarás:
- un naipe,
- un rectángulo de papel cuadriculado del mismo tamaño que el naipe,
- lápiz adhesivo.

A	2	30	11	3	6	26	23	19	7	22	15	18	10	14	27
B	1	27	13	23	15	5	7	29	19	3	21	11	9	25	17
C	16	24	28	30	17	18	21	23	22	26	19	27	20	29	25
D	8	9	30	10	14	27	28	26	11	13	24	29	25	15	12
E	4	28	29	22	13	21	14	5	6	15	30	23	12	7	20

Objetivo

Adivinar un número entre 1 y 30 pensado por un amigo.

1 Copia este cuadro en el papel. Pégalo al naipe.

2 Pide a un amigo que piense en un número entre 1 y 30. Muéstrale el naipe y pídele que te indique la letra o letras de las líneas donde se encuentra el número que pensó.

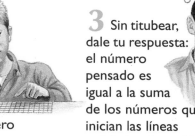

3 Sin titubear, dale tu respuesta: el número pensado es igual a la suma de los números que inician las líneas señaladas. ¡Increíble!

2+8+16

26!

Soluciones págs. 188-191

USA LA LÓGICA

Dicen que hay que pensar dos veces antes de responder. Ese consejo es útil al resolver estos enigmas, porque tal vez la primera respuesta no sea la más acertada.

■ Ratón de biblioteca

En el desván de su abuelo, Mateo encontró tres grandes diccionarios. Los volúmenes eran imponentes: ¡1000 páginas cada uno! Mateo, siempre curioso, los midió. Cada volumen medía 11 centímetros de espesor y cada tapa de cuero tenía 0.5 cm de grosor. Mateo pensó: "33 centímetros de espesor de los 3 diccionarios. ¡Deben contener muchas cosas!"

Lo mismo se dijo un pequeño ratón, que empezó en la página 1 del volumen número 1 y tuvo tiempo para devorar el papel, el cartón y el cuero hasta llegar a la página 1000 del tercer volumen. Sin volver a usar su metro plegable para medir el trayecto, Mateo calculó la distancia recorrida por el ratón. ¿Puedes calcularla tú también?

■ Una cita complicada

Cuando Lisa hace una cita con su prima Carolina, siempre teme que alguno de sus hermanos mayores descubra sus secretos. Por eso, decidió indicar el día de la reunión de modo complicado:

"Nos veremos cuando pasado mañana sea ayer. Y te advierto que hay el mismo número de días entre el último domingo y el día que te escribo que entre anteayer y pasado mañana."

¿Qué día escribió Lisa su recado?
¿Qué día se reunirá con Carolina?

■ La limonada ganadora

Ricardo invitó a sus amigos a beber un poco de limonada a la sombra de los árboles. En la mesa hay ya 9 vasos para los presentes. Ricardo propone a sus amigos un pequeño juego: "Para conseguir que les sirva, deben acomodar los 9 vasos de modo que formen 10 hileras con 3 vasos en línea recta en cada una. El ganador tendrá derecho de beber primero." Cuando Ricardo regresó, Fernando ya tenía la solución. ¿Y tú?

Los perales del jardinero

Don Jacinto, el viejo jardinero, quiere mucho a sus cuatro hijos... ¡y a sus 12 perales! Durante toda su vida, los ha ayudado a crecer con gran amor y paciencia. Antes de morir, don Jacinto quisiera dividir su huerto en partes iguales. ¿Sabes cómo dividir el terreno en partes equivalentes de modo que cada hijo herede tres perales?

¡Vaya, Pepe!

En el nombre de Pepe se coló una letra. Ahora se escribe Pepep. ¿Podrás descubrir cuántos Pepep contiene esta serie de nueve letras? Recuerda que puedes comenzar en cualquier P y leer en forma horizontal o vertical, girar a la derecha o a la izquierda y subir o bajar, pero nunca pasar por la misma letra al leer el nombre una vez ni leer en diagonal.

P E P

E P E

P E P

Soluciones págs. 188-191

La tarta de la abuela

Para consentir a sus cinco nietos, la abuela horneó una tarta. Pero el abuelo, a quien le encantan los enigmas, prometió darle un pedazo extra a aquel de sus nietos capaz de cortarlo en ocho partes iguales sin hacer más que tres cortes. Julieta encontró la solución y se ganó el pedazo extra. ¿Cómo lo hizo?

ROMPECABEZAS CON FÓSFOROS

¿Cómo divertirse con una simple caja de fósforos? Es fácil: sin peligro alguno, enciende tu lógica, tu imaginación y tu destreza.

Abracadabra
Para resolver con éxito estos enigmas geométricos, hay que imaginar figuras, calcular distancias, ver en el espacio.

1 Quita 8 fósforos para obtener 2 cuadrados.

2 Quita 4 fósforos para obtener 2 triángulos.

3 Haz dos triángulos iguales con 5 fósforos.

4 Haz 5 triángulos con 9 fósforos.

5 Mueve dos fósforos para obtener 5 cuadrados.

6 Haz 4 triángulos iguales con 6 fósforos.

El baile de los números
Un poco de lógica, el dominio de las tablas de sumar y mucha atención bastan para no quebrarse demasiado la cabeza.

1 Mueve un fósforo para obtener 130.

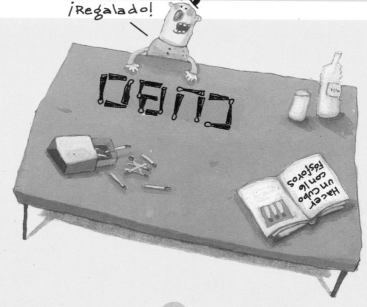

Búscale tres pies al gato

Para superar estas pruebas, hay que dar muestras de astucia y de imaginación. Pero fíjate bien, la solución nunca es la que parece.

1 Haz un cubo con sólo 9 fósforos.

2 Agrega 3 fósforos para obtener... 4 triángulos.

3 Mueve un fósforo para obtener... un cuadrado.

4 Con 9 fósforos, haz 2 triángulos y 3 rectángulos.

5 Invierte la pirámide moviendo 3 fósforos.

6 Haz 8 triángulos moviendo 3 fósforos.

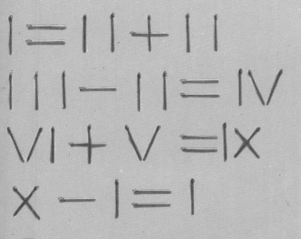

2 Mueve un fósforo en cada línea y todo quedará en orden.

Soluciones págs. 188-191

UN DULCE RECORRIDO

En esta insólita fábrica se elaboran dulces y confites. Las distintas máquinas mezclan el azúcar y la funden, ponen los palitos a los chupetes o paletas, moldean caramelos, muelen el chocolate, cortan el regaliz, empacan turrones. Al final, todas estas delicias salen en sus cajas. ¡Pero vaya trayecto!

Preguntas

1. El maestro confitero perdió su gorro. ¿Dónde está?
2. Encuentra los nueve pares ocultos.
3. ¿Puedes encontrar a 13 intrusos?
4. ¿Qué personaje no está trabajando?

Soluciones págs. 188-191

NO PIERDAS EL HILO

Ya que las pistas falsas suelen desorientar y sus múltiples giros y vueltas nos confunden, ¿por qué no idearlas tú mismo?

■ Sigue las flechas

La flecha permite seguir el camino; cuando está invertida, impide el paso.
En una hoja cuadriculada, haz un itinerario similar.

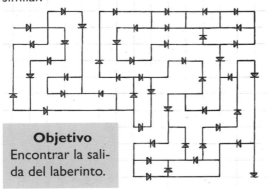

> **Objetivo**
> Encontrar la salida del laberinto.

■ Al hilo de las letras

Escribe el mensaje siguiendo un camino con las letras. Después, borra el camino.

> **Objetivo**
> Descifrar el mensaje de arriba abajo.

■ Sigue los números

En un papel de calcar, delinea el contorno de la figura con los números.

> **Objetivo**
> Delinear los contornos de un dibujo siguiendo los números en orden ascendente... o descendente.

LA LEYENDA DEL HILO DE ARIADNA

En Creta, el rey Minos hizo construir un laberinto en un palacio donde encerró al Minotauro, un monstruo con cuerpo de hombre y cabeza de toro. Cada año lo alimentaba con siete doncellas y siete jóvenes de Atenas. Cierto día, uno de ellos, Teseo, logró matar al monstruo y salir del laberinto gracias al hilo de Ariadna que lo guió en su camino.

■ Del hilo a la bola

Dibuja el gato y el camino hasta la madeja; después, agrega caminos falsos.

> **Objetivo**
> Encontrar el camino que lleva al gato hasta su madeja.

■ Al hilo de las operaciones

Entrada

				I						
I	2	3	0	3	4	6	4	5	0	I
	4	5	4	5	6	7	8	3	4	
	6	8	6	3	7	9	10	5	8	
	8	9	4	7	8	11	12	11	12	
	7	10	0	3	9	12	14	15	16	
	9	10	11	7	10	13	16	11	12	
	6	9	12	9	11	15	18	8	7	
	8	9	8	11	13	17	13	10	5	
I	4	7	10	14	15	16	17	14	0	I

En una cuadrícula, pon el I de entrada. Escribe los caminos correctos, agregando o quitando las cantidades adecuadas. Confunde las pistas haciendo caminos falsos y llenando las casillas vacías.

Objetivo

Encontrar los caminos que van del I al I, pasando de una casilla a otra según las siguientes instrucciones:

hacia la derecha: sumar I hacia abajo: sumar 2
hacia la izquierda: restar 3 hacia arriba: restar 4

■ El hilo de las palabras

Entrada

SOPA	NIÑA	LOMO	BOTE	NUBE	CONO
FINA	ZONA	ACTO	TEMA	MANO	FOSO
PEZ	COSA	JEFE	RÍO	ROCA	TEJA
REÍR	VASO	FAZ	AMOR	CUBO	RIZO
NUEZ	ASNO	SECA	ARCO	REJA	MINA
BOLA	TAPA	ROSA	PATA	RED	ALTO

Salida

Objetivo

Ir de BOTE a ALTO siguiendo las palabras que tienen al menos una letra en común: bote, tema, acto, etc.

Para empezar, coloca las palabras de entrada y de salida. Después, en las casillas que se tocan por un lado, anota palabras que tengan al menos una letra en común. Cuando termines el camino, escribe otras palabras para disimularlo.

■ Al hilo de los colores

En un papel cuadriculado, colorea un camino alternando un cuadrado verde y uno rojo (1). Colorea pistas falsas (2) y termina de llenar con otros colores (3).

1

2

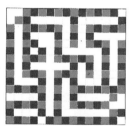

3

Objetivo

Encontrar la salida. Fíjate bien: deben alternarse un cuadrado verde y uno rojo.

Soluciones págs. 188-191

Hace falta paciencia para no perderse entre los trazos sinuosos de un laberinto o para encontrar el camino de los hilos entrelazados y anudados.

■ **Un llavero de nudo**

Necesitarás:
- I m de cordel grueso y flexible (o un cordón de zapatos).

1 Sobre una mesa, copia el trayecto del hilo siguiendo sus distintas etapas.

2 Repite los pasos sin cruzar el hilo.

3 Aprieta el nudo poco a poco, haciendo cada vuelta más pequeña.

4 Obtendrás un botón. Sólo falta poner la llave.

Encuentra el camino que lleva al rinoceronte.

Este entrelazado fue
dibujado de un solo trazo
por Leonardo da Vinci.

¿Nudo de rizo o de tejedor?

Es fácil hacer un doble nudo. Pero puedes
obtener un nudo cuadrado o de rizo, muy
firme, o un nudo de tejedor, menos seguro.

nudo de rizo   nudo de tejedor

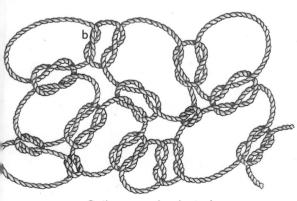

¿Cuáles son nudos de rizo?

Soluciones págs. 188-191

La historia de un nudo

Los marineros usan diversos nudos para
diferentes usos. El nudo llamado "amarra
de proa" nunca se olvida gracias a una
simpática historia que narra el trayecto de
la cuerda.

Hay un árbol y
un pozo...

...una serpiente sale
del pozo...

...pasa por detrás
del árbol...

...y vuelve a
meterse al pozo.

UNA LARGA PEREGRINACIÓN

En las iglesias góticas, los fieles recorrían
de rodillas grandes laberintos empedrados,
lo que equivalía a una peregrinación a
Tierra Santa.

el laberinto empedrado de la catedral de Chartres

¿DÓNDE QUEDÓ LA BOLITA?

¿Dónde está el siguiente pasadizo? ¡No! ¡Una pared! La bolita avanza a ciegas, libra los obstáculos y por fin encuentra la salida.

■ Un recorrido endemoniado

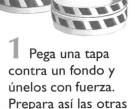

Necesitarás:
- 5 cajas redondas (de queso),
- tijeras,
- una bolita o canica,
- cinta adhesiva,
- pegamento en tubo.

1 Pega una tapa contra un fondo y únelos con fuerza. Prepara así las otras cuatro cajas.

2 Con la punta de la tijera, perfora una caja.

3 Recorta un agujero para que pase la bolita o canica.

PRUEBAS DE INTELIGENCIA

Una rata descubre y aprende rápidamente el itinerario que le permite llegar a su alimento. A los psicólogos que estudian la inteligencia humana les interesa observar esas conductas.

4 Haz agujeros así en las otras cuatro cajas pero no en el mismo sitio.

Sugerencia
Antes de pegar el juego, revisa que la bolita pase bien por los agujeros.

5 Pega el conjunto con cinta adhesiva.

■ El túnel oculto

  ★ ★

Necesitarás:
- 2 cajas de galletas idénticas,
- cartulina,
- una regla,
- cinta adhesiva,
- pegamento,
- una bolita o canica,
- tijeras.

1 Despega con cuidado las cajas.

2 En la cartulina, recorta ocho rectángulos del ancho de la caja pero 1 cm más altos.

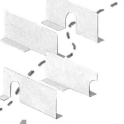

3 Con una punta de las tijeras, marca el doblez.

4 Prepara los ocho obstáculos.

5 Pega los obstáculos al fondo y fíjalos a los lados con cinta adhesiva.

6 Cierra las cajas y haz los orificios de paso entre una y otra.

7 Por último, pega las dos cajas con cinta adhesiva.

Dirigir una bolita o canica a un lugar exacto es fácil. Pero hace falta un poco más de paciencia para lograr que varias bolitas sigan distintas rutas

■ Un billar romano

★ ★

Necesitarás:
- una caja redonda (de queso),
- cartulina,
- bolitas o canicas,
- marcadores o plumines,
- tijeras, un compás.

1 Dibuja y recorta en la cartulina un disco idéntico al fondo de la caja.

2 Dibuja y colorea un muñeco o algún otro motivo.

3 Con la punta de las tijeras, haz pequeños agujeros.

4 Coloca el blanco, el círculo perforado, en la caja y prueba con una bolita o canica. Puedes agrandar los agujeros para que sea más fácil.

UN PASEO CON HOYOS
Los campos de golf suelen tener 18 hoyos repartidos en poco más de 6 kilómetros que deben alcanzarse con un mínimo de golpes. Hay que cuidarse del viento, que modifica la trayectoria de la pelota, y de los obstáculos o trampas.

5 Prepara otros blancos con uno o varios agujeros y que vayan de un nivel fácil a uno muy difícil.